LA PRINCESSE DE CLÈVES

MADAME DE LAFAYETTE

(1634-93)

LA PRINCESSE
DE CLÈVES

Chronologie et préface
par
Antoine Adam
professeur à la Sorbonne

GARNIER-FLAMMARION

CHRONOLOGIE

1633 (5 Février). Marc Pioche, sieur de La Vergne, épouse Isabelle Pena, fille de François Pena, médecin du roi. Le mariage est célébré à Saint-Sulpice.

1634 (18 Mars). Baptême, à Saint-Sulpice, de Marie-Madeleine Pioche de La Vergne. Urbain de Maillé et la duchesse d'Aiguillon sont ses parrain et marraine.

1634 (22 Novembre). Marc Pioche entre en possession d'un terrain, au coin de la rue de Vaugirard et de la rue Férou. Il y construit un hôtel.

1635 (10 Avril). Naissance d'Eléonor-Armande, deuxième fille de Marc Pioche.

1636 (Vers). Naissance d'Isabelle-Louise, troisième fille de Marc Pioche.

1640 (28 Août). Acquisition d'un jardin et d'une maison au coin de la rue de Vaugirard et de la rue Férou, qui fait face à l'hôtel déjà construit.

1641 (15 Mai). Sentence du bailliage de Saint-Germain-des-Prés autorisant la construction d'une galerie au-dessus de la rue Férou pour réunir les deux immeubles acquis par Marc Pioche de La Vergne et Isabelle Pena.

1648 (Octobre). Isabelle Pena s'installe près de son mari, au Havre, où il est lieutenant au gouvernement. Ses filles l'accompagnent.

1649 (15 Mars). Marc Pioche de La Vergne reçoit le brevet de maréchal des camps et armées du roi.

1649 (20 Décembre). Marc Pioche de La Vergne est enterré à Saint-Sulpice.

1650 (21 Décembre). Isabelle Pena épouse en secondes noces Renaud-René, chevalier de Sévigné.

1652 (25 Décembre). Renaud-René de Sévigné, compromis dans les agitations politiques, reçoit l'ordre de se retirer sur sa terre de Champiré. Sa femme et ses filles l'y rejoignent deux mois plus tard. Elles regagnent Paris au printemps de 1653.

1653-1654 (Hiver). Elles accompagnent Ménage à Angers et poursuivent leur voyage jusqu'à Champiré. Elles poussent jusqu'à Nantes, où elles voient le Coadjuteur prisonnier.

1654 (8 Août). Le Coadjuteur s'évade.

1654 (Décembre). Isabelle Pena et ses filles regagnent Paris.

1655 (15 Février). Mariage de François, comte de Lafayette, et de Marie-Madeleine Pioche de La Vergne. La cérémonie a lieu à Saint-Sulpice.

1655 (Mars). Le ménage prend la route de l'Auvergne, où se trouvent les terres du comte de Lafayette.

1656 (2 Février). Mort, à Angers, d'Isabelle Pena.

1657 (Fin). Le comte et la comtesse viennent habiter Paris.

1658 (7 Mars). Baptême de Louis de Lafayette, premier fils du comte de Lafayette.

1658 (Septembre). Mme de Lafayette, souffrante, fait un séjour à Vichy.

1659 (Début de). Elle revient à Paris.

1659 (Milieu). Ménage introduit dans sa société Daniel Huet et Jean de Segrais.

1659. Mme de Lafayette fait le portrait de Mme de Sévigné dans la *Galerie des Portraits* publiée par ordre de Mademoiselle.

1659 (Septembre). Mme de Lafayette donne le jour à un second fils, Armand de Lafayette.

1661 (Mars). Mariage de Mme Henriette d'Angleterre. A partir de ce moment, Mme de Lafayette, sans être dame d'honneur de la princesse, appartient à sa société habituelle.

1661 (21 Avril). L'une des deux maisons au coin de la rue de Vaugirard et de la rue Férou est vendue. Mme de Lafayette continue d'habiter l'autre.

1661 (Novembre). M. de Lafayette retourne seul en Auvergne.

1662 (27 Juillet). Privilège pris pour *La Princesse de Montpensier*.

1662 (20 Août). Achevé d'imprimer de *La Princesse de Montpensier*. Mme de Lafayette fréquente à cette date la société des Du Plessis-Guénégaud. Elle porte dans cette société le nom de Nymphe de l'Allier. Elle voit beaucoup aussi Mme de Sévigné, M. et Mme de Coulanges, Corbinelli.

1665 (Début de). Elle noue une étroite amitié avec La Rochefoucauld, rencontré chez les Du Plessis-Guénégaud.

1668 (Fin). Mme de Lafayette compose *Zayde*. Elle envoie ses cahiers à Daniel Huet pour correction.

1669 (8 Octobre). Mme de Lafayette fait prendre par le libraire Barbin un privilège pour son roman de *Zayde*.

1669 (20 Novembre). Achevé d'imprimer du tome I de *Zayde*.

1669. Mme de Villedieu publie le *Journal amoureux*, recueil de six nouvelles, où figurent les noms de Mlle de Clèves et de Mme de Tournon.

1670 (Début de). Deuxième édition de la première partie de *Zayde*.

1670 (Derniers mois de). Mise en vente de la deuxième et dernière partie de *Zayde*.

1671 (18 Décembre). Barbin prend un privilège pour trois ouvrages, entre autres *Le Prince de Clèves*, dont l'auteur n'est pas nommé.

1675. Boisguilbert publie *Marie Stuart*, et Boursault *Le Prince de Condé*.

1675. Mme de Villedieu publie *Les Désordres de l'amour*, où une femme mariée avoue à son mari le sentiment qu'elle porte à un autre.

1678 (16 Janvier). Privilège pris par Barbin pour *La Princesse de Clèves*.

1678 (8 Mars). Achevé d'imprimer de *La Princesse de Clèves*.

1678 (17 Mars). Mise en vente de *La Princesse de Clèves*.

1678 (Avril). *Le Mercure galant* ouvre une enquête auprès de ses lecteurs sur la scène de l'aveu.

1678 (Mai). *Le Mercure galant* publie sur *La Princesse de Clèves* une lettre qui est ordinairement attribuée à Fontenelle.

1678 (Décembre). Publication des *Lettres à Mme la marquise de * * * sur le sujet de la Princesse de Clèves*, qui sont attribuées à Valincour avec la collaboration probable du P. Bouhours.

1678 et années suivantes. Correspondance active de Mme de Lafayette avec la cour de Turin.

1679 (Mai). Barbier d'Aucour publie les *Conversations sur la Critique de la Princesse de Clèves*, où il répond aux *Lettres à la marquise de * * **.

1680 (17 Mars). Mort de La Rochefoucauld.

1680 (6 Mai). Armand de Lafayette reçoit une commission de colonel au régiment de La Fère.

1683 (26 Juin). Mort de M. de Lafayette.

1689 (12 Décembre). Armand de Lafayette épouse Anne-Madeleine de Marillac.

1693 (25 Mai). Mort de Mme de Lafayette.

1693 (27 Mai). Funérailles à Saint-Sulpice.

1720. *Histoire de Mme Henriette d'Angleterre*, par Mme Marie de La Vergne, comtesse de Lafayette, Amsterdam.

1724 (Juin). *Le Mercure de France* publie *La Comtesse de Tende*.

1731. *Mémoires de la Cour de France pour les années 1688 et 1689*, Amsterdam.

1783. On signale l'existence de *Caraccio*, nouvelle, de 87 feuillets manuscrits.

1909. L'*Archiv für das Studium der neueren Sprachen und Literaturen* publie une *Histoire espagnole* et une *Histoire de Don Carlos d'Astorgas*, qui n'ont d'autre titre à être attribuées à Mme de Lafayette que d'être groupés dans un manuscrit avec l'*Histoire d'Henriette d'Angleterre* et *La Comtesse de Tende*.

Le nom de Mme de Lafayette est couramment écrit *La Fayette*. L'erreur est certaine, et les signatures autographes prouvent que le nom était constamment écrit Lafayette.

PRÉFACE

Pour un lecteur moderne, le début de *La Princesse de Clèves* est, avouons-le, rebutant. Nous attendions une belle histoire d'amour, et nous nous trouvons en présence d'intrigues de cour, à l'époque d'Henri II. Elles nous sont rapportées dans un style conventionnel, qui deviendrait vite insupportable. Tous ces princes et ces grands seigneurs sont « d'un mérite extraordinaire » et les délices de leur temps. Ils sont tous « galants, bien faits et amoureux ». Cette cour, où règnent la magnificence et la galanterie, est toute peuplée de « belles personnes » et d'hommes « admirablement bien faits ». Il est clair que Mme de Lafayette n'imagine pas qu'il soit possible de voir et de décrire autrement la vie de cour.

Elle n'imagine pas non plus que nous puissions prendre un médiocre plaisir à ces intrigues, à ces « oppositions de personnes, de cabales et d'intérêts ». Elle est sans aucun doute persuadée que, pour un Français de son temps, « les divers intérêts et les diverses liaisons de la cour » offrent un spectacle dont l'esprit ne se lasse pas. Elle le croit d'autant plus que, depuis quinze ans, le roman vient d'abandonner la manière de La Calprenède et de Scudéry, et qu'il se tourne vers un genre nouveau, où l'intrigue d'amour est inventée, mais se développe sur un fond d'histoire et de politique.

Il nous faut faire un effort pour comprendre qu'il y avait là une volonté certaine d'atteindre à une plus grande vérité. Les anachronismes du roman historique nous choquent, mais, après les Scythes et les Romains de Scudéry, les héros créés par Segrais dans ses *Nouvelles françaises*, en 1656, paraissaient à la nouvelle génération merveilleusement vraisemblables. En tête de son livre, il avait demandé pourquoi les auteurs ne prendraient pas des Français pour personnages de leurs romans. Il avait évoqué l'Angleterre de Guillaume le Conquérant, la Bourgogne au temps de la guerre de Cent Ans. Après lui, Mme de Villedieu avait publié, en 1669, des récits qui se situaient sous les règnes de François Ier, d'Henri II et de Charles IX. Et chaque fois, il s'agissait d'une intrigue d'amour inventée, mais elle se trouvait au centre d'une situation historique, pour laquelle les auteurs les plus graves, Mézeray, le P. Anselme, Davila, avaient fourni l'information. Les personnages mêmes étaient empruntés à l'histoire, et l'on voyait dans les récits de Mme de Villedieu le duc de Nevers et le prince de Condé, Mlle de Clèves et Mlle de Tournon. En quelques années, ce « nouveau roman » s'imposa, et les romanciers à la mode obéirent à l'engouement du public. Dans la seule année 1675, Boursault, Vaumorière, le président de Boisguilbert publièrent *Le Prince de Condé*, *Diane de France*, *Mlle de Tournon* et racontèrent les malheurs de Marie Stuart. En écrivant *La Princesse de Clèves*, Mme de Lafayette se conformait donc à une mode, et c'est par cet aspect que le chef-d'œuvre aujourd'hui nous rebute d'abord.

Sur un autre point, *La Princesse de Clèves* nous surprend et pourrait nous décevoir. Nous avons pris l'habitude de trouver dans les romans des portraits qui nous aident à nous représenter leurs personnages. Mme de Lafayette au contraire, s'en tient à quelques traits d'une extrême généralité. Cette princesse de Clèves qui est, nous dit-elle, cent fois, la plus belle personne de la cour, nous apprenons seulement qu'elle est blonde, que la blancheur de son teint est admirable, que son visage et sa personne sont pleins de grâce et de charme.

Il serait trop simple de dire que Mme de Lafayette ne pouvait prévoir Balzac et les portraits qu'il a multipliés dans *La Comédie humaine*. Trop simple aussi d'opposer l'austérité du style classique et les couleurs du vocabulaire romantique. Quelques années avant que parût *La Princesse de Clèves*, certains romanciers avaient mis dans leurs récits un sens du concret, une recherche du détail particulier que la littérature antérieure, à l'exception des poètes satiriques de l'âge baroque, avait délibérément ignorés. Cette révolution dans l'art du portrait apparaissait, avec une force inégale, non seulement chez Furetière, mais chez Donneau de Visé, Préchac, Oudin de Préfontaine. Mais elle n'atteignit d'abord que le roman de mœurs. Le roman historique resta quelques années encore fidèle à ses traditions. Sur ce point encore, Mme de Lafayette ne fait que se conformer aux lois du genre qu'elle avait choisi.

Et pourtant, dès la première œuvre qu'elle eût publiée, elle avait tendu à s'affranchir des routines à la mode. *La Princesse de Montpensier*, parue en 1662, allait beaucoup plus loin dans le sens de la vérité que Segrais n'avait fait dans ses *Nouvelles françaises*. Mme de Lafayette s'y interdisait les péripéties héroïques, les coïncidences merveilleusement opportunes, l'étalage des grands sentiments. L'histoire se développait avec une singulière rigueur, soutenue seulement par le flux et le reflux de la passion chez deux êtres épris l'un de l'autre.

Le roman de *Zayde*, en 1669, faisait, il est vrai, de fâcheuses concessions à la tradition romanesque. On y trouvait des joutes, des tournois longuement racontés, des naufrages, et l'héroïsme guerrier s'y mêlait à la galanterie. Trop de coïncidences, de rencontres heureuses, trop de moyens cent fois employés dans les romans antérieurs, prouvaient que Mme de Lafayette ne songeait pas à se libérer d'une formule qu'elle avait trouvée tout établie et qu'elle ne prenait pas la peine de mettre en question. Mais *Zayde* n'en offrait pas moins un intérêt très neuf. C'était en son fond l'histoire de la naissance d'un amour, et cet amour demeurait longtemps inconscient, jusqu'au jour où il se découvrait dans la jalousie. A partir de ce moment, nous assistions aux progrès du mal, aux soupçons, aux interrogatoires cruels et inutiles, aux démarches maladroites par lesquelles le jaloux détruit cet amour même qu'il s'efforce de protéger. Par cet aspect de son roman, Mme de Lafayette faisait œuvre fortement originale. Elle était prête à écrire *La Princesse de Clèves*.

Au lecteur qui se soucie moins de l'histoire d'une œuvre littéraire que de sa signification, il importe assez peu de savoir à quelle date exacte Mme de Lafayette a écrit son chef-d'œuvre. On ne saurait affirmer que ce fut en 1671, car rien ne prouve que *Le Prince de Clèves*, dont le titre est attesté à cette date, se confonde avec notre *Princesse de Clèves*. Plus vraisemblablement, Mme de Lafayette entreprit d'écrire son roman peu après 1675. L'ouvrage était achevé à la fin de 1677. Au mois de jan-

vier 1678, le libraire Barbin prit un privilège. Le roman
fut mis en vente au milieu de mars.

Les volumes ne portaient pas le nom de l'auteur. Ce
silence rendit possibles certaines rumeurs qui coururent.
On parla d'une collaboration de Mme de Lafayette et de
La Rochefoucauld. On prononça également les noms de
La Rochefoucauld et de Segrais. Mme de Lafayette laissait dire habituellement. Il lui arriva aussi de nier absolument qu'elle fût l'auteur du roman, et que La Rochefoucauld y eût quelque part. Mais plus tard, dans une lettre à
son ami Ménage, elle se laissa aller aux confidences. Elle
employa une formule qui n'a de sens que si elle était
l'unique auteur du chef-d'œuvre. La Rochefoucauld et
Segrais, précise-t-elle, n'y ont de part « qu'un peu de
correction ».

Comme *La Princesse de Montpensier*, comme *Zayde* en
ses parties les plus fortes, *La Princesse de Clèves* était
l'histoire d'un grand amour. Pour en comprendre aujour-
d'hui les démarches, nous devons nous représenter
exactement le climat moral dans lequel il se développe.
Dans ce monde, les traditions restent extrêmement fortes,
et les rapports de l'homme et de la femme obéissent à un
code de galanterie qui ne se laisse pas transgresser impu-
nément. A moins de se déshonorer, une femme n'avouera
jamais qu'elle aime. L'homme, de son côté, ne se permet
de le lui dire qu'après une attente très longue, car il sait
que sa déclaration sera d'abord considérée comme une
injure. C'est ce qui explique que l'amour du duc de
Nemours mette tant de temps à se déclarer, et que
Mme de Clèves ne lui avoue son amour que lorsque tout
est dit et qu'elle est décidée à ne plus le revoir.

Mais en même temps les obligations de la vie de cour
interdisent à une femme d'éviter les occasions quoti-
diennes de rencontrer l'homme qu'elle veut fuir. Le
cercle de la reine, les bals de la cour, mille occasions qui
ne s'éludent pas obligent Mme de Clèves et Nemours à
s'affronter, dans le même temps que les lois de l'honneur
et de la belle galanterie ne leur permettent pas de s'avouer
leur passion réciproque.

Le lecteur de nos jours, s'il est inattentif, risque de ne
pas apercevoir cette extrême tension. Elle fait pourtant
l'un des principaux mérites de *La Princesse de Clèves*. Car
ce ne sont pas les cris de la passion romantique qui ont le
droit le plus certain de nous émouvoir. Ce ne sont pas ces
paroxysmes criards et leurs violences étalées. Ils ne se

heurtent qu'à de trop faibles obstacles. Le tragique véritable, qu'il s'agisse d'une œuvre de théâtre ou d'un roman, ne saurait résulter que d'un déchirement intérieur et d'un conflit qui ne se laisse pas surmonter. La passion de Nemours et de la princesse est extrême : la force des exigences de leur monde ne l'est pas moins. Et du même coup leur vie en est brisée.

Mme de Lafayette avait depuis longtemps compris la valeur littéraire de ce grand thème. Déjà *La Princesse de Montpensier* avait décrit les mouvements de l'amour dans deux êtres épris l'un de l'autre et séparés par les exigences de la politique et par les lois. Puis, dans *Zayde*, elle avait imaginé deux amants qui n'appartenaient pas à la même race, ne professaient pas la même religion, ne parlaient même pas la même langue, et elle nous les avait montrés à la recherche l'un de l'autre, à travers tant d'obstacles qui ne leur permettaient pas de s'entendre.

Avec un art admirable, elle a su, dans *La Princesse de Clèves*, décrire les étapes d'une marche au terme de laquelle Nemours et la princesse doivent enfin s'avouer l'un à l'autre leur passion. Mme de Clèves est longtemps à ne pas même soupçonner ce que signifie ce trouble qu'elle a éprouvé en présence de Nemours et qu'elle continue de sentir lorsqu'elle pense à lui. Il faut un mot de sa mère pour lui découvrir l'intérêt qu'elle prend à tout ce qui touche à cet homme, et qu'elle ne s'était pas encore avoué. Alors, et alors seulement, elle comprend qu'il s'agit d'amour, et sa honte est profonde. Elle croit que du moins Nemours ne l'aime pas, et la passion a fait dès lors en elle un tel chemin que cette idée, qui devrait la rassurer, l'afflige.

Une nouvelle péripétie lui révèle que sur ce point elle se trompait. Non pas une péripétie romanesque, comme on en trouvait encore dans *Zayde*. Mais une rencontre inévitable, et telle qu'elle ne pouvait manquer de se produire dans l'univers clos où se développait l'action. Au cours d'une visite que Nemours rend à la princesse, et que l'étiquette mondaine ne permettait pas à celle-ci d'éviter, le duc prononce des paroles enveloppées, mais dont le sens est clair. Mme de Clèves voudrait en marquer de l'irritation. Là encore les règles du monde ne le lui permettent pas. Qu'importe d'ailleurs, puisque désormais elle sait que sa passion est partagée ?

A partir de ce moment, les événements se précipitent, qui ne permettent plus à la princesse de Clèves de cacher son trouble, de maîtriser ses paroles et son visage. C'est le portrait dérobé par Nemours sous ses yeux, sans qu'il lui soit possible de marquer qu'elle s'en est aperçue. C'est Nemours tombant de cheval et qui, lorsqu'il rouvre les yeux, aperçoit le visage bouleversé de la femme qu'il aime. Mais, même à partir de ce moment, ils ne s'avoueront pas leur passion réciproque. Ils ne s'en expliqueront que bien plus tard, quand M. de Clèves sera mort, et cette dernière rencontre marquera la séparation définitive.

Mme de Lafayette s'attachait également à nous faire sentir par quelles révélations progressives la jeune princesse de Clèves prend conscience de ce qui se passe en elle. Elle n'a d'abord été touchée que d'un sentiment de reconnaissance à l'égard de M. de Clèves, parce qu'il a demandé sa main à un moment où, pour des raisons diverses, plusieurs projets de mariage avaient successivement échoué. Devenue sa femme, elle éprouve pour lui un sentiment où n'entre ni impatience, ni inquiétude, ni chagrin, un sentiment qui ne lui donne ni désir, ni trouble. Après la rencontre de Nemours, cette jeune femme, qui n'a jamais aimé, met quelque temps à comprendre la vraie nature de l'intérêt qu'elle lui porte. Mais ce n'est rien encore. C'est après l'épisode de la lettre, c'est par l'expérience qu'elle fait soudain de la jalousie que la princesse de Clèves découvre la vraie signification de son amour.

Mme de Lafayette n'avait pas attendu d'écrire *La Princesse de Clèves* pour voir dans la jalousie la manifestation la plus certaine de l'amour. Dans *Zayde*, elle avait raconté longuement l'histoire d'un amant jaloux, elle avait dit ses soupçons toujours renaissants, les interrogatoires qu'il infligeait à sa maîtresse, avec ce qu'ils avaient nécessairement d'humiliant, de cruel et de vain. Dans son nouveau roman, la jalousie tient également une très grande place. Si Mme de Clèves comprend enfin qu'elle est devenue la proie de sa passion, qu'elle ne la domine plus, qu'elle est emportée où elle ne veut pas aller, c'est parce qu'un hasard malheureux lui donne lieu de penser que Nemours aime une autre femme. Et si M. de Clèves finit par mourir de chagrin, c'est parce qu'il croit que sa femme l'a trahi. Peu d'œuvres, avant *Swann* et *La Prisonnière*, ont décrit avec autant de cruauté les folies et les tortures de la jalousie.

Celle-ci apparaissait, dans *La Princesse de Clèves*, non

pas comme une maladie qui menace l'amour, mais comme la manifestation la plus essentielle de l'amour. Cette idée traduisait l'intime conviction de Mme de Lafayette, et depuis longtemps elle s'était fait de l'amour une image très sombre. En 1653, alors qu'elle n'avait que dix-neuf ans, elle écrivait à Ménage : « Je suis si persuadée que l'amour est une chose incommode que j'ai de la joie que mes amis et moi en soyons exempts. » Dix ans plus tard, elle en discutait encore et composait un « raisonnement contre l'amour ». Ce pessimisme explique certains mots de *La Princesse de Clèves*. Après l'épisode de la lettre, lorsqu'elle se souvient des heures d'angoisse qu'elle vient de passer, la princesse ne se reconnaît plus. C'est qu'elle avait ignoré jusque-là « les inquiétudes mortelles de la méfiance et de la jalousie ». Elle les connaît maintenant, et elle s'en épouvante. « Veux-je, se demande-t-elle, veux-je enfin m'exposer aux cruels repentirs et aux mortelles douleurs que donne l'amour ? » Il est trop clair qu'aux yeux de Mme de Lafayette l'amour n'apporte pas la joie avec lui, et qu'il est, pour elle comme plus tard pour Proust, inséparable de l'inquiétude et de l'angoisse.

Il n'est pas moins évident que l'amour, dans le roman de Mme de Lafayette, est une passion où la liberté de l'homme n'intervient pas. La princesse en a pleinement conscience. « Une inclination qui m'entraîne malgré moi... », déclare-t-elle. Et ailleurs : « Comme si c'eût été une chose qui eût été en mon pouvoir... » Il est vrai d'ailleurs que la romancière fait à la liberté sa part. Son héroïne reste maîtresse de ses actes, et si le cœur, chez elle, est agité par des sentiments qu'elle ne domine pas, sa volonté n'est pas un moment ébranlée. Pas un instant elle ne songe à céder à sa passion. Celle-ci ne réussit même pas à obscurcir son intelligence et à troubler ses jugements. « Les passions, déclare-t-elle, peuvent me conduire. Mais elles ne sauraient m'aveugler. »

Cette idée du caractère fatal de nos passions et des troubles qu'elles produisent, Mme de Lafayette n'avait pas eu à la découvrir, si même son expérience personnelle s'y trouvait d'avance accordée. Elle la voyait affirmée par plusieurs de ses amis et dans la société qu'elle fréquentait. Chez Mme de Sablé, on discutait de l'amour, et deux conceptions contraires se partageaient les habitués de son salon. Certains d'entre eux soutenaient « l'amour de connaissance ». Mais d'autres, Mme de Sablé notamment et La Rochefoucauld, croyaient à l' « amour d'inclination ». Le premier, c'était l'amour tel que Corneille par exemple l'avait compris. Il naissait de la vue des perfections d'un être, il était un mouvement tout spirituel vers la beauté de l'âme aussi bien que du corps. Et pour cette raison il était libre.

Mais à cet « amour de connaissance », de choix et d'élection, certains ne croyaient plus. C'est en vain qu'on leur représentait les dangers de l' « amour d'inclination », de la passion aveugle et « qui fait ses terribles effets et si violents », ils répondaient que l'amour n'est pas autre chose, qu'il ne reste à l'homme qu'à en prendre son parti, que l' « amour de connaissance » est une chimère.

Il faudrait être bien superficiel pour voir en cette opposition de deux pensées les jeux un peu vains d'une casuistique galante. Elle traduisait l'esprit de la nouvelle génération. Celle-ci n'était plus marquée de l'esprit cornélien, elle ne croyait plus à la liberté, elle avait perdu ce sens magnifique de l'héroïsme, qui avait animé l'époque de Richelieu.

Le petit groupe d'esprits éminents dans lequel s'est élaborée notre littérature classique était profondément pénétré de la nouvelle et triste conception de l'homme. Et par là *La Princesse de Clèves* se relie de la façon la plus directe aux chefs-d'œuvre parmi lesquels elle est née. L'amour de Mme de Clèves pour Nemours, c'est le même amour qui consume jusqu'à la destruction Hermione et Phèdre. C'est lui aussi qui dévore la religieuse portugaise et lui arrache ses grands cris de passion. Et dans chacun de ces cas, l'amour ne se lie pas à une « connaissance ». La religieuse portugaise n'ignore pas la médiocrité de son amant, elle sait que ses lettres mêmes ne réussiront pas à émouvoir cette âme frivole et froide. Hermione est sans illusion sur les petitesses de Pyrrhus, elle le méprise, elle ne l'en aime pas moins. De la même manière, Mme de Clèves sait que Nemours est naturellement infidèle. Elle sait que, s'il lui arrivait de céder à sa passion, Nemours ne tarderait pas à se détourner d'elle pour aller à d'autres conquêtes. Mais il n'est en son pouvoir, ni d'aimer d'amour M. de Clèves, ni de ne pas aimer le trop séduisant Nemours.

Cet amour qui n'était pas un mouvement libre de l'âme n'était pas non plus une évasion hors du cercle étroit de notre intérêt personnel. Il était passion de régner et de posséder. Il était, malgré les apparences, une forme de l'amour-propre, c'est-à-dire de l'égoïsme. Il était la moins généreuse des passions, et c'est pour cela qu'il ressemblait si souvent à la haine. Cette conception, La Rochefoucauld l'avait affirmée en quelques-unes de ses *Maximes*. Elle explique que chez tant d'héroïnes raciniennes l'amour prenne toutes les formes de la fureur. Elle livre le secret de *La Princesse de Clèves*.

L'amour y apparaît comme une passion humiliante et qui dégrade l'âme. Nemours semble à première vue le modèle du héros galant, il est spirituel, il est brave, et pour une fois il aime sincèrement. Mais il n'échappe pas à cette loi que l'amour est volonté de possession. Il ne craint pas de faire souffrir, de porter le trouble dans un foyer ami. Lorsqu'il surprend l'aveu, il est fier d'avoir réduit Mme de Clèves à cet excès de désarroi. M. de Clèves, à coup sûr, est une plus noble figure. Il n'en est pas moins vrai qu'il s'abandonne à toutes les folies humiliantes de la jalousie. Mme de Clèves elle-même inspire la pitié, et tous ses efforts ne l'empêchent pas de s'enfoncer dans le compromis et le mensonge.

Mme de Lafayette croyait-elle du moins qu'il fût possible à l'homme de s'arracher à l'enlisement et de se libérer ? Et ce moyen unique de salut, était-ce la sincérité ? On a pu le croire. La princesse de Clèves semble l'avoir pensé puisqu'elle fait à son mari l'aveu de sa passion secrète. Beaucoup parmi les contemporains ont estimé que cette scène formait le sommet du roman.

Il est exact en effet que Mme de Lafayette mettait au-dessus de tout la sincérité. Elle aimait qu'on dît d'elle qu'elle était « vraie ». Dans l'*Histoire de Madame Henriette d'Angleterre*, elle a soin de relever ce même trait chez la princesse. Madame, écrit-elle, avait trouvé « que dans toutes les affaires embrouillées la vérité seule tire les gens d'affaire ». Il n'en est pas moins évident que, dans la situation où se trouve placée la princesse de Clèves, la vérité ne peut plus la sauver. Car son aveu n'arrange rien. C'est lui, plutôt, qui la perd. Il exaspère la jalousie de M. de Clèves, il nourrit ses soupçons, il le pousse à des interrogatoires de plus en plus précis et obsédants. M. de Clèves en a conscience. Il le dit à sa femme. Elle a eu tort d'avoir en lui cette confiance. Elle a attendu de lui une résignation impossible. C'est cet aveu qui l'a tué.

Il faut un effort au lecteur moderne pour entrer dans le secret de ces âmes si hautes, si différentes des personnages bavards et veules d'une littérature plus récente. Il en faut un aussi pour comprendre les motifs qui les font agir.

Lorsqu'il ne croit pas au caractère inévitable et donc aux droits de la passion, l'homme du XXᵉ siècle fait appel pour y résister à la loi religieuse. Ceux qui n'adhèrent plus à aucune foi croient entendre du moins une voix qui parle au fond de tous les cœurs et qui leur inspire l'amour de la vertu. Aucune de ces considérations n'inspire la conduite de la princesse de Clèves. Pas un instant elle ne songe à céder à son amour. Mais elle n'invoque pas non plus la loi divine. Elle ne croit pas davantage que sa conscience lui parle. Elle n'attend de sa vertu aucune joie sensible, aucune consolation. Elle n'envisage que les enseignements de sa raison et de son honneur.

Elle sait quels désastres apportent dans la vie d'une femme une passion illégitime, de quel prix il faut payer certaines joies interdites. Elle sait aussi à quelles humiliations elle s'exposerait, dans quels enchaînements de mensonges elle serait entraînée. Son honneur pas plus que sa raison ne lui permettent de faiblir.

Parce que les disciplines sociales se sont affaiblies depuis le temps de Mme de Lafayette, nous avons peine à entrer dans des considérations qui nous sont devenues en partie étrangères. Nous sommes tentés de trouver que cette sagesse et cette raison sont des vertus temporelles, que les vues de la princesse sont en vérité trop humaines et trop parfaitement dépourvues d'idéal. Nous pourrions croire que l'honneur n'est pas une vraie valeur morale. Ce serait une erreur. Car il est juste d'admirer sans réserve, chez la princesse, le sens si haut qu'elle a de sa dignité. Il est beau de n'attendre rien de la vertu, ni les récompenses de l'au-delà, ni les satisfactions de la conscience, ni la considération mondaine : rien que la vertu même, si ce mot signifie la dignité habituelle des pensées et de la conduite, la maîtrise de soi, l'intégrité du caractère. Conception austère et sans joie. Mais c'est elle qui a inspiré, au cours du Grand Siècle, quelques âmes très hautes. C'est elle qui a donné à toute cette époque ce sens de la grandeur qui la rend entre toutes admirable. *La Princesse de Clèves* en est l'une des manifestations les plus parfaites.

ANTOINE ADAM.

BIBLIOGRAPHIE

BIBLIOGRAPHIE

Nous disposons, pour étudier la vie et l'œuvre de
Mme de Lafayette, de quatre ouvrages excellents :

André Beaunier, *La Jeunesse de Mme de Lafayette*,
1921, et *L'Amie de La Rochefoucauld*, 1927.

Emile Magne, *Mme de Lafayette en ménage*, 1926, et
Le Cœur et l'esprit de Mme de Lafayette, 1927.

On consultera aussi le chapitre qui lui est consacré
dans A. Adam, *Histoire de la littérature française au
XVII*e *siècle*, tome IV, 1954.

LA PRINCESSE DE CLÈVES

LE LIBRAIRE AU LECTEUR

Quelque approbation qu'ai[t] eu[e] cette Histoire dans les lectures qu'on en a faites, l'auteur n'a pu se résoudre à se déclarer; il a craint que son nom ne diminuât le succès de son livre. Il sait par expérience que l'on condamne quelquefois les ouvrages sur la médiocre opinion qu'on a de l'auteur et il sait aussi que la réputation de l'auteur donne souvent du prix aux ouvrages. Il demeure donc dans l'obscurité où il est, pour laisser les jugements plus libres et plus équitables, et il se montrera néanmoins si cette Histoire est aussi agréable au public que je l'espère.

TOME PREMIER [1]

---

1. Rappelons que l'édition de *La Princesse de Clèves* parut chez Barbin, en 1678, en quatre tomes.

1. quoique - ALTHOUGH
2. témoignage - PROOF, TESTIMONY
3. la paume - TENNIS
4. le chiffre - FIGURE
5. la reine - QUEEN
6. paraître - APPEARED
7. aîné - ELDER
8. une dissimulation - DECEIT
9. demeurer - live
10. le cour - court
11. ~~paraître - come out~~ belle-mère - STEPMOTHER
12. attirer - DREW
13. une âme - SOUL
14. dédaigner - SCORN
15. se soumettre - YIELD
16. partager - DIVIDED
17. sitôt - AS SOON AS
18. songer - IMAGINE
19. appuyer - TO STRENGHTHEN
20. insupportables - UNBEARABLE
21. aigreur - RANCOR
22. le mépris - SCORN
23. haïr - TO HATE
24. succéder - INHERIT
25. éperdu - DESPERATE
26. se résoudre - RESOLVE
27. meubles - FURNISHINGS
28. avènement - ARRIVAL
29. la couronne - CROWN
30. le droit - LAW
31. l'ombrage - SUSPICION
32. souhaiter - WISH
33. bienséance - PROPRIETY

La magnificence et la galanterie n'ont jamais paru en France avec tant d'éclat que dans les dernières années du règne de Henri second. Ce prince était galant, bien fait et amoureux; quoique sa passion pour Diane de Poitiers, duchesse de Valentinois, eût commencé il y avait plus de vingt ans, elle n'en était pas moins violente, et il n'en donnait pas des témoignages moins éclatants.

Comme il réussissait admirablement dans tous les exercices du corps, il en faisait une de ses plus grandes occupations. C'étai[en]t tous les jours des parties de chasse et de paume, des ballets, des courses de bagues, ou de semblables divertissements; les couleurs et les chiffres de Mme de Valentinois paraissaient partout, et elle paraissait elle-même avec tous les ajustements que pouvait avoir Mlle de la Marck, sa petite-fille, qui était alors à marier.

La présence de la reine autorisait la sienne. Cette princesse était belle, quoiqu'elle eût passé la première jeunesse; elle aimait la grandeur, la magnificence et les plaisirs. Le roi l'avait épousée lorsqu'il était encore duc d'Orléans, et qu'il avait pour aîné le dauphin, qui mourut à Tournon, prince que sa naissance et ses grandes qualités destinaient à remplir dignement la place du roi François premier, son père.

L'humeur ambitieuse de la reine lui faisait trouver une grande douceur à régner; il semblait qu'elle souffrît sans peine l'attachement du roi pour la duchesse de Valentinois, et elle n'en témoignait aucune jalousie, mais elle avait une si profonde dissimulation qu'il était difficile de juger de ses sentiments, et la politique l'obligeait d'approcher cette duchesse de sa personne, afin d'en approcher aussi le roi. Ce prince aimait le

commerce des femmes, même de celles dont il n'était
pas amoureux : il demeurait tous les jours chez la reine
à l'heure du cercle, où tout ce qu'il y avait de plus beau
et de mieux fait, de l'un et de l'autre sexe, ne manquait
pas de se trouver.

Jamais cour n'a eu tant de belles personnes et
d'hommes admirablement bien faits ; et il semblait que la
nature eût pris plaisir à placer ce qu'elle donne de plus
beau dans les plus grandes princesses et dans les plus
grands princes. Mme Elisabeth de France, qui fut depuis
reine d'Espagne, commençait à faire paraître un esprit
surprenant et cette incomparable beauté qui lui a été
si funeste. Marie Stuart, reine d'Ecosse, qui venait
d'épouser M. le Dauphin, et qu'on appelait la reine
dauphine, était une personne parfaite pour l'esprit et
pour le corps ; elle avait été élevée à la cour de France,
elle en avait pris toute la politesse, et elle était née avec
tant de dispositions pour toutes les belles choses que,
malgré sa grande jeunesse, elle les aimait et s'y connaissait mieux que personne. La reine, sa belle-mère, et
Madame, sœur du roi, aimaient aussi les vers, la comédie et la musique. Le goût que le roi François premier
avait eu pour la poésie et pour les lettres, régnait encore
en France ; et le roi son fils, aimant les exercices du corps,
tous les plaisirs étaient à la cour ; mais ce qui rendait
cette cour belle et majestueuse était le nombre infini de
princes et de grands seigneurs d'un mérite extraordinaire. Ceux que je vais nommer étaient, en des manières
différentes, l'ornement et l'admiration de leur siècle.

Le roi de Navarre attirait le respect de tout le monde
par la grandeur de son rang et par celle qui paraissait
en sa personne. Il excellait dans la guerre, et le duc de
Guise lui donnait une émulation qui l'avait porté plusieurs
fois à quitter sa place de général, pour aller combattre
auprès de lui comme un simple soldat, dans les lieux
les plus périlleux. Il est vrai aussi que ce duc avait donné
des marques d'une valeur si admirable et avait eu de si
heureux succès qu'il n'y avait point de grand capitaine
qui ne dût le regarder avec envie. Sa valeur était soutenue
de toutes les autres grandes qualités : il avait un esprit
vaste et profond, une âme noble et élevée, et une égale
capacité pour la guerre et pour les affaires. Le cardinal
de Lorraine, son frère, était né avec une ambition déme-
surée, avec un esprit vif et une éloquence admirable, et
il avait acquis une science profonde, dont il se servait

pour se rendre considérable en défendant la religion
catholique qui commençait d'être attaquée. Le chevalier de Guise, que l'on appela depuis le grand prieur,
était un prince aimé de tout le monde, bien fait, plein
d'esprit, plein d'adresse, et d'une valeur célèbre par
toute l'Europe. Le prince de Condé, dans un petit corps
peu favorisé de la nature, avait une âme grande et hau-
taine, et un esprit qui le rendait aimable aux yeux même
des plus belles femmes. Le duc de Nevers, dont la vie
était glorieuse par la guerre et par les grands emplois
qu'il avait eus, quoique dans un âge un peu avancé,
faisait les délices de la cour. Il avait trois fils parfaitement bien faits : le second, qu'on appelait le prince de
Clèves, était digne de soutenir la gloire de son nom; il
était brave et magnifique, et il avait une prudence qui
ne se trouve guère avec la jeunesse. Le vidame de Chartres, descendu de cette ancienne maison de Vendôme,
dont les princes du sang n'ont point dédaigné de porter
le nom, était également distingué dans la guerre et dans
la galanterie. Il était beau, de bonne mine, vaillant,
hardi, libéral; toutes ces bonnes qualités étaient vives
et éclatantes; enfin, il était seul digne d'être comparé au
duc de Nemours, si quelqu'un lui eût pu être compa-
rable. Mais ce prince était un chef-d'œuvre de la nature;
ce qu'il avait de moins admirable, c'était d'être l'homme
du monde le mieux fait et le plus beau. Ce qui le mettait
au-dessus des autres était une valeur incomparable, et
un agrément dans son esprit, dans son visage et dans ses
actions que l'on n'a jamais vu qu'à lui seul; il avait un
enjouement qui plaisait également aux hommes et
aux femmes, une adresse extraordinaire dans tous ses
exercices, une manière de s'habiller qui était toujours
suivie de tout le monde, sans pouvoir être imitée, et
enfin un air dans toute sa personne qui faisait qu'on ne
pouvait regarder que lui dans tous les lieux où il paraissait. Il n'y avait aucune dame dans la cour dont la gloire
n'eût été flattée de le voir attaché à elle; peu de celles à qui
il s'était attaché, se pouvaient vanter de lui avoir résisté,
et même plusieurs à qui il n'avait point témoigné de
passion, n'avaient pas laissé d'en avoir pour lui. Il avait
tant de douceur et tant de disposition à la galanterie
qu'il ne pouvait refuser quelques soins à celles qui
tâchaient de lui plaire : ainsi il avait plusieurs maîtresses,
mais il était difficile de deviner celle qu'il aimait véritablement. Il allait souvent chez la reine dauphine; la

beauté de cette princesse, sa douceur, le soin qu'elle avait de plaire à tout le monde et l'estime particulière qu'elle témoignait à ce prince, avaient souvent donné lieu de croire qu'il levait les yeux jusqu'à elle. MM. de Guise, dont elle était nièce, avaient beaucoup augmenté leur crédit et leur considération par son mariage; leur ambition les faisait aspirer à s'égaler aux princes du sang et à partager le pouvoir du connétable de Montmorency. Le roi se reposait sur lui de la plus grande partie du gouvernement des affaires et traitait le duc de Guise et le maréchal de Saint-André comme ses favoris; mais ceux que la faveur ou les affaires approchaient de sa personne ne s'y pouvaient maintenir qu'en se soumettant à la duchesse de Valentinois; et, quoiqu'elle n'eût plus de jeunesse ni de beauté, elle le gouvernait avec un empire si absolu que l'on peut dire qu'elle était maîtresse de sa personne et de l'État.

Le roi avait toujours aimé le connétable, et sitôt qu'il avait commencé à régner, il l'avait rappelé de l'exil où le roi François premier l'avait envoyé. La cour était partagée entre MM. de Guise et le connétable, qui était soutenu des princes du sang. L'un et l'autre parti[s] avai[en]t toujours songé à gagner la duchesse de Valentinois. Le duc d'Aumale, frère du duc de Guise, avait épousé une de ses filles; le connétable aspirait à la même alliance. Il ne se contentait pas d'avoir marié son fils aîné avec Mme Diane, fille du roi et d'une dame de Piémont, qui se fit religieuse aussitôt qu'elle fut accouchée. Ce mariage avait eu beaucoup d'obstacles, par les promesses que M. de Montmorency avait faites à Mlle de Piennes, une des filles d'honneur de la reine; et, bien que le roi les eût surmontés avec une patience et une bonté extrêmes, ce connétable ne se trouvait pas encore assez appuyé s'il ne s'assurait de Mme de Valentinois, et s'il ne la séparait de MM. de Guise, dont la grandeur commençait à donner de l'inquiétude à cette duchesse. Elle avait retardé, autant qu'elle avait pu, le mariage du dauphin avec la reine d'Écosse : la beauté et l'esprit capable et avancé de cette jeune reine, et l'élévation que ce mariage donnait à MM. de Guise, lui étaient insupportables. Elle haïssait particulièrement le cardinal de Lorraine; il lui avait parlé avec aigreur, et même avec mépris. Elle voyait qu'il prenait des liaisons avec la reine; de sorte que le connétable la trouva disposée à s'unir avec lui, et à entrer dans son alliance par le mariage de

Mlle de la Marck, sa petite-fille, avec M. d'Anville, son second fils, qui succéda depuis à sa charge sous le règne de Charles IX. Le connétable ne crut pas trouver d'obstacles dans l'esprit de M. d'Anville pour un mariage, comme il en avait trouvé dans l'esprit de M. de Montmorency; mais, quoique les raisons lui en fussent cachées, les difficultés n'en furent guère moindres. M. d'Anville était éperdument amoureux de la reine dauphine et, quelque peu d'espérance qu'il eût dans cette passion, il ne pouvait se résoudre à prendre un engagement qui partagerait ses soins. Le maréchal de Saint-André était le seul dans la cour qui n'eût point pris de parti. Il était un des favoris, et sa faveur se tenait qu'à sa personne : le roi l'avait aimé dès le temps qu'il était dauphin; et depuis, il l'avait fait maréchal de France, dans un âge où l'on n'a pas encore accoutumé de prétendre aux moindres dignités. Sa faveur lui donnait un éclat qu'il soutenait par son mérite et par l'agrément de sa personne, par une grande délicatesse pour sa table et pour ses meubles et par la plus grande magnificence qu'on eût jamais vue en un particulier. La libéralité du roi fournissait à cette dépense; ce prince allait jusqu'à la prodigalité pour ceux qu'il aimait; il n'avait pas toutes les grandes qualités, mais il en avait plusieurs, et surtout celle d'aimer la guerre et de l'entendre; aussi avait-il eu d'heureux succès, et, si on en excepte la bataille de Saint-Quentin, son règne n'avait été qu'une suite de victoires. Il avait gagné en personne la bataille de Renty; le Piémont avait été conquis; les Anglais avaient été chassés de France, et l'empereur Charles Quint avait vu finir sa bonne fortune devant la ville de Metz, qu'il avait assiégée inutilement avec toutes les forces de l'Empire et de l'Espagne. Néanmoins, comme le malheur de Saint-Quentin avait diminué l'espérance de nos conquêtes, et que, depuis, la fortune avait semblé se partager entre les deux rois, ils se trouvèrent insensiblement disposés à la paix.

La duchesse douairière de Lorraine avait commencé à en faire des propositions dans le temps du mariage de M. le Dauphin; il y avait toujours eu depuis quelque négociation secrète. Enfin, Cercamp, dans le pays d'Artois, fut choisi pour le lieu où l'on devait s'assembler. Le cardinal de Lorraine, le connétable de Montmorency et le maréchal de Saint-André s'y trouvèrent pour le roi; le duc d'Albe et le prince d'Orange, pour Philippe II;

et le duc et la duchesse de Lorraine furent les média-
teurs. Les principaux articles étaient le mariage de Mme
Élisabeth de France avec Don Carlos, infant d'Espagne,
et celui de Madame, sœur du roi, avec M. de Savoie.

Le roi demeura cependant sur la frontière et il y reçut
la nouvelle de la mort de Marie, reine d'Angleterre. Il
envoya le comte de Randan à Élisabeth, [pour la compli-
menter] sur son avènement à la couronne; elle le reçut
avec joie. Ses droits étaient si mal établis qu'il lui était
avantageux de se voir reconnue par le roi. Ce comte la
trouva instruite des intérêts de la cour de France et du
mérite de ceux qui la composaient; mais surtout il la
trouva si remplie de la réputation du duc de Nemours, elle
lui parla tant de fois de ce prince, et avec tant d'empressement que, quand M. de Randan fut revenu, et qu'il
rendit compte au roi de son voyage, il lui dit qu'il n'y
avait rien que M. de Nemours ne pût prétendre auprès
de cette princesse, et qu'il ne doutait point qu'elle ne
fût capable de l'épouser. Le roi en parla à ce prince dès
le soir même; il lui fit conter par M. de Randan toutes
ses conversations avec Elisabeth et lui conseilla de tenter
cette grande fortune. M. de Nemours crut d'abord que
le roi ne lui parlait pas sérieusement, mais comme il vit
le contraire :

— Au moins, Sire, lui dit-il, si je m'embarque dans
une entreprise chimérique par le conseil et pour le ser-
vice de Votre Majesté, je la supplie de me garder le
secret jusqu'à ce que le succès me justifie vers le public,
et de vouloir bien ne me pas faire paraître rempli d'une
assez grande vanité pour prétendre qu'une reine, qui ne
m'a jamais vu, me veuille épouser par amour.

Le roi lui promit de ne parler qu'au connétable de ce
dessein, et il jugea même le secret nécessaire pour le
succès. M. de Randan conseillait à M. de Nemours
d'aller en Angleterre sur le simple prétexte de voyager,
mais ce prince ne put s'y résoudre. Il envoya Lignerolles
qui était un jeune homme d'esprit, son favori, pour
voir les sentiments de la reine, et pour tâcher de commencer quelque liaison. En attendant l'événement de ce
voyage, il alla voir le duc de Savoie, qui était alors à
Bruxelles avec le roi d'Espagne. La mort de Marie
d'Angleterre apporta de grands obstacles à la paix;
l'assemblée se rompit à la fin de novembre, et le roi
revint à Paris.

Il parut alors une beauté à la cour, qui attira les yeux

de tout le monde, et l'on doit croire que c'était une beauté parfaite, puisqu'elle donna de l'admiration dans un lieu où l'on était si accoutumé à voir de belles personnes. Elle était de la même maison que l[a] vidame de Chartres et une des plus grandes héritières de France. Son père était mort jeune, et l'avait laissée sous la conduite de Mme de Chartres, sa femme, dont le bien, la vertu et le mérite étaient extraordinaires. Après avoir perdu son mari, elle avait passé plusieurs années sans revenir à la cour. Pendant cette absence, elle avait donné ses soins à l'éducation de sa fille ; mais elle ne travailla pas seulement à cultiver son esprit et sa beauté, elle songea aussi à lui donner de la vertu et à la lui rendre aimable. La plupart des mères s'imaginent qu'il suffit de ne parler jamais de galanterie devant les jeunes personnes pour les en éloigner. Mme de Chartres avait une opinion opposée ; elle faisait souvent à sa fille des peintures de l'amour ; elle lui montrait ce qu'il a d'agréable pour la persuader plus aisément sur ce qu'elle lui en apprenait de dangereux ; elle lui contait le peu de sincérité des hommes, leurs tromperies et leur infidélité, les malheurs domestiques où plongent les engagements ; et elle lui faisait voir, d'un autre côté, quelle tranquillité suivait la vie d'une honnête femme, et combien la vertu donnait d'éclat et d'élévation à une personne qui avait de la beauté et de la naissance ; mais elle lui faisait voir aussi combien il était difficile de conserver cette vertu, que par une extrême défiance de soi-même et par un grand soin de s'attacher à ce qui seul peut faire le bonheur d'une femme, qui est d'aimer son mari et d'en être aimée.

Cette héritière était alors un des grands partis qu'il y eût en France ; et quoiqu'elle fût dans une extrême jeunesse, l'on avait déjà proposé plusieurs mariages. Mme de Chartres, qui était extrêmement glorieuse, ne trouvait presque rien digne de sa fille ; la voyant dans sa seizième année, elle voulut la mener à la cour. Lorsqu'elle arriva, le vidame alla au-devant d'elle ; il fut surpris de la grande beauté de Mlle de Chartres, et il en fut surpris avec raison. La blancheur de son teint et ses cheveux blonds lui donnaient un éclat que l'on n'a jamais vu qu'à elle ; tous ses traits étaient réguliers, et son visage et sa personne étaient pleins de grâce et de charmes.

Le lendemain qu'elle fut arrivée, elle alla pour assortir des pierreries chez un Italien qui en trafiquait par tout

le monde. Cet homme était venu de Florence avec la
reine, et s'était tellement enrichi dans son trafic que sa
maison paraissait plutôt celle d'un grand seigneur que
d'un marchand. Comme elle y était, le prince de Clèves y
arriva. Il fut tellement surpris de sa beauté qu'il ne put
cacher sa surprise; et Mlle de Chartres ne put s'empêcher de rougir en voyant l'étonnement qu'elle lui avait
donné. Elle se remit néanmoins, sans témoigner d'autre
attention aux actions de ce prince que celle que la civi-
lité lui devait donner pour un homme tel qu'il paraissait.
M. de Clèves la regardait avec admiration, et il ne pouvait comprendre qui était cette belle personne qu'il ne
connaissait point. Il voyait bien par son air, et par tout
ce qui était à sa suite, qu'elle devait être d'une grande
qualité. Sa jeunesse lui faisait croire que c'était une fille,
mais, ne lui voyant point de mère, et l'Italien qui ne la
connaissait point l'appelant madame, il ne savait que
penser, et il la regardait toujours avec étonnement. Il
s'aperçut que ses regards l'embarrassaient, contre l'ordinaire des jeunes personnes qui voient toujours avec
plaisir l'effet de leur beauté; il lui parut même qu'il
était cause qu'elle avait de l'impatience de s'en aller, et
en effet elle sortit assez promptement. M. de Clèves se
consola de la perdre de vue dans l'espérance de savoir qui
elle était; mais il fut bien surpris quand il sut qu'on ne la
connaissait point. Il demeura si touché de sa beauté et
de l'air modeste qu'il avait remarqué dans ses actions
qu'on peut dire qu'il conçut pour elle dès ce moment
une passion et une estime extraordinaires. Il alla le soir
chez Madame, sœur du roi.

Cette princesse était dans une grande considération
par le crédit qu'elle avait sur le roi, son frère; et ce crédit
était si grand que le roi, en faisant la paix, consentait
à rendre le Piémont pour lui faire épouser le duc de
Savoie. Quoiqu'elle eût désiré toute sa vie de se marier,
elle n'avait jamais voulu épouser qu'un souverain, et
elle avait refusé pour cette raison le roi de Navarre lorsqu'il était duc de Vendôme, et avait toujours souhaité
M. de Savoie; elle avait conservé de l'inclination pour
lui depuis qu'elle l'avait vu à Nice à l'entrevue du roi
François premier et du pape Paul troisième. Comme
elle avait beaucoup d'esprit et un grand discernement
pour les belles choses, elle attirait tous les honnêtes
gens, et il y avait de certaines heures où toute la cour
était chez elle.

M. de Clèves y vint comme à l'ordinaire; il était si rempli de l'esprit et de la beauté de Mlle de Chartres qu'il ne pouvait parler d'autre chose. Il conta tout haut son aventure, et ne pouvait se lasser de donner des louanges à cette personne qu'il avait vue, qu'il ne connaissait point. Madame lui dit qu'il n'y avait point de personne comme celle qu'il dépeignait et que, s'il y en avait quelqu'une, elle serait connue de tout le monde. Mme de Dampierre, qui était sa dame d'honneur et amie de Mme de Chartres, entendant cette conversation, s'approcha de cette princesse et lui dit tout bas que c'était sans doute Mlle de Chartres que M. de Clèves avait vue. Madame se retourna vers lui et lui dit que, s'il voulait revenir chez elle le lendemain, elle lui ferait voir cette beauté dont il était si touché. Mlle de Chartres parut en effet le jour suivant; elle fut reçue des reines avec tous les agréments qu'on peut s'imaginer, et avec une telle admiration de tout le monde qu'elle n'entendait autour d'elle que des louanges. Elle les recevait avec une modestie si noble qu'il ne semblait pas qu'elle les entendît ou, du moins, qu'elle en fût touchée. Elle alla ensuite chez Madame, sœur du roi. Cette princesse, après avoir loué sa beauté, lui conta l'étonnement qu'elle avait donné à M. de Clèves. Ce prince entra un moment après :

— Venez, lui dit-elle, voyez si je ne vous tiens pas ma parole et si, en vous montrant Mlle de Chartres, je ne vous fais pas voir cette beauté que vous cherchiez; remerciez-moi au moins de lui avoir appris l'admiration que vous aviez déjà pour elle.

M. de Clèves sentit de la joie de voir que cette personne, qu'il avait trouvée si aimable, était d'une qualité proportionnée à sa beauté; il s'approcha d'elle et il la supplia de se souvenir qu'il avait été le premier à l'admirer et que, sans la connaître, il avait eu pour elle tous les sentiments de respect et d'estime qui lui étaient dus.

Le chevalier de Guise et lui, qui étaient amis, sortirent ensemble de chez Madame. Ils louèrent d'abord Mlle de Chartres sans se contraindre. Ils trouvèrent enfin qu'ils la louaient trop, et ils cessèrent l'un et l'autre de dire ce qu'ils en pensaient; mais ils furent contraints d'en parler les jours suivants partout où ils se rencontrèrent. Cette nouvelle beauté fut longtemps le sujet de toutes les conversations. La reine lui donna de grandes louanges et eut pour elle une considération extraordinaire; la reine dauphine en fit une de ses favorites et pria

Mme de Chartres de la mener souvent chez elle. Mesdames, filles du roi, l'envoyaient chercher pour être de tous leurs divertissements. Enfin, elle était aimée et admirée de toute la cour, excepté de Mme de Valentinois. Ce n'est pas que cette beauté lui donnât de l'ombrage : une trop longue expérience lui avait appris qu'elle n'avait rien à craindre auprès du roi; mais elle avait tant de haine pour le vidame de Chartres qu'elle avait souhaité d'attacher à elle par le mariage d'une de ses filles, et qui s'était attaché à la reine, qu'elle ne pouvait regarder favorablement une personne qui portait son nom et pour qui il faisait paraître une grande amitié.

Le prince de Clèves devint passionnément amoureux de Mlle de Chartres et souhaitait ardemment l'épouser; mais il craignait que l'orgueil de Mme de Chartres ne fût blessé de donner sa fille à un homme qui n'était pas l'aîné de sa maison. Cependant cette maison était si grande, et le comte d'Eu, qui en était l'aîné, venait d'épouser une personne si proche de la maison royale que c'était plutôt la timidité que donne l'amour que de véritables raisons, qui causaient les craintes de M. de Clèves. Il avait un grand nombre de rivaux : le chevalier de Guise lui paraissait le plus redoutable par sa naissance, par son mérite et par l'éclat que la faveur donnait à sa maison. Ce prince était devenu amoureux de Mlle de Chartres le premier jour qu'il l'avait vue; il s'était aperçu de la passion de M. de Clèves, comme M. de Clèves s'était aperçu de la sienne. Quoiqu'ils fussent amis, l'éloignement que donnent les mêmes prétentions ne leur avait pas permis de s'expliquer ensemble; et leur amitié s'était refroidie sans qu'ils eussent eu la force de s'éclaircir. L'aventure qui était arrivée à M. de Clèves, d'avoir vu le premier Mlle de Chartres, lui paraissait un heureux présage et semblait lui donner quelque avantage sur ses rivaux; mais il prévoyait de grands obstacles par le duc de Nevers, son père. Ce duc avait d'étroites liaisons avec la duchesse de Valentinois : elle était ennemie du vidame, et cette raison était suffisante pour empêcher le duc de Nevers de consentir que son fils pensât à sa nièce.

Mme de Chartres, qui avait eu tant d'application pour inspirer la vertu à sa fille, ne discontinua pas de prendre les mêmes soins dans un lieu où ils étaient si nécessaires et où il y avait tant d'exemples si dangereux. L'ambition et la galanterie étaient l'âme de cette cour, et occupaient

également les hommes et les femmes. Il y avait tant
d'intérêts et tant de cabales différentes, et les dames y
avaient tant de part que l'amour était toujours mêlé aux
affaires et les affaires à l'amour. Personne n'était tranquille, ni indifférent; on songeait à s'élever, à plaire, à
servir ou à nuire; on ne connaissait ni l'ennui, ni l'oisiveté,
et on était toujours occupé des plaisirs ou des intrigues.
Les dames avaient des attachements particuliers pour
la reine, pour la reine dauphine, pour la reine de Navarre,
pour Madame, sœur du roi, ou pour la duchesse de Valentinois. Les inclinations, les raisons de bienséance ou le
rapport d'humeur faisaient ces différents attachements.
Celles qui avaient passé la première jeunesse et qui
faisaient profession d'une vertu plus austère, étaient
attachées à la reine. Celles qui étaient plus jeunes et qui
cherchaient la joie et la galanterie, faisaient leur cour à
la reine dauphine. La reine de Navarre avait ses favorites;
elle était jeune et elle avait du pouvoir sur le roi son mari :
il était joint au connétable, et avait par là beaucoup de
crédit. Madame, sœur du roi, conservait encore de la
beauté et attirait plusieurs dames auprès d'elle. La duchesse de Valentinois avait toutes celles qu'elle daignait
regarder; mais peu de femmes lui étaient agréables; et
excepté quelques-unes, qui avaient sa familiarité et sa
confiance, et dont l'humeur avait du rapport avec la
sienne, elle n'en recevait chez elle que les jours où elle
prenait plaisir à avoir une cour comme celle de la reine.

Toutes ces différentes cabales avaient de l'émulation et de l'envie les unes contre les autres : les dames
qui les composaient avaient aussi de la jalousie entre
elles, ou pour la faveur, ou pour les amants; les intérêts de grandeur et d'élévation se trouvaient souvent
joints à ces autres intérêts moins importants, mais qui
n'étaient pas moins sensibles. Ainsi il y avait une sorte
d'agitation sans désordre dans cette cour, qui la rendait
très agréable, mais aussi très dangereuse pour une jeune
personne. Mme de Chartres voyait ce péril et ne songeait qu'aux moyens d'en garantir sa fille. Elle la pria,
non pas comme sa mère, mais comme son amie, de lui
faire confidence de toutes les galanteries qu'on lui
dirait, et elle lui promit de lui aider à se conduire dans
des choses où l'on était souvent embarrassée quand on
était jeune.

Le chevalier de Guise fit tellement paraître les sentiments et les desseins qu'il avait pour Mlle de Chartres

qu'ils ne furent ignorés de personne. Il ne voyait néanmoins que de l'impossibilité dans ce qu'il désirait; il savait bien qu'il n'était point un parti qui convînt à Mlle de Chartres, par le peu de biens qu'il avait pour soutenir son rang; et il savait bien aussi que ses frères n'approuveraient pas qu'il se mariât, par la crainte de l'abaissement que les mariages des cadets apportent d'ordinaire dans les grandes maisons. Le cardinal de Lorraine lui fit bientôt voir qu'il ne se trompait pas; il condamna l'attachement qu'il témoignait pour Mlle de Chartres avec une chaleur extraordinaire; mais il ne lui en dit pas les véritables raisons. Ce cardinal avait une haine pour le vidame, qui était secrète alors, et qui éclata depuis. Il eût plutôt consenti à voir son frère entrer dans toute autre alliance que dans celle de ce vidame; et il déclara si publiquement combien il en était éloigné que Mme de Chartres en fut sensiblement offensée. Elle prit de grands soins de faire voir que le cardinal de Lorraine n'avait rien à craindre, et qu'elle ne songeait pas à ce mariage. Le vidame prit la même conduite et sentit, encore plus que Mme de Chartres, celle du cardinal de Lorraine, parce qu'il en savait mieux la cause.

Le prince de Clèves n'avait pas donné des marques moins publiques de sa passion qu'avait fait le chevalier de Guise. Le duc de Nevers apprit cet attachement avec chagrin; il crut néanmoins qu'il n'avait qu'à parler à son fils pour le faire changer de conduite; mais il fut bien surpris de trouver en lui le dessein formé d'épouser Mlle de Chartres. Il blâma ce dessein, il s'emporta et cacha si peu son emportement que le sujet s'en répandit bientôt à la cour et alla jusqu'à Mme de Chartres. Elle n'avait pas mis en doute que M. de Nevers ne regardât le mariage de sa fille comme un avantage pour son fils; elle fut bien étonnée que la maison de Clèves et celle de Guise craignissent son alliance, au lieu de la souhaiter. Le dépit qu'elle eut lui fit penser à trouver un parti pour sa fille, qui la mît au-dessus de ceux qui se croyaient au-dessus d'elle. Après avoir tout examiné, elle s'arrêta au prince dauphin, fils du duc de Montpensier. Il était lors à marier, et c'était ce qu'il y avait de plus grand à la cour. Comme Mme de Chartres avait beaucoup d'esprit, qu'elle était aidée du vidame qui était dans une grande considération, et qu'en effet sa fille était un parti considérable, elle agit avec tant d'adresse et tant de succès que M. de Montpensier parut souhaiter ce mariage, et il semblait qu'il ne s'y pouvait trouver de difficultés.

Le vidame, qui savait l'attachement de M. d'Anville pour la reine dauphine, crut néanmoins qu'il fallait employer le pouvoir que cette princesse avait sur lui pour l'engager à servir Mlle de Chartres auprès du roi et auprès du prince de Montpensier, dont il était ami intime. Il en parla à cette reine, et elle entra avec joie dans une affaire où il s'agissait de l'élévation d'une personne qu'elle aimait beaucoup; elle le témoigna au vidame, et l'assura que, quoiqu'elle sût bien qu'elle ferait une chose désagréable au cardinal de Lorraine, son oncle, elle passerait avec joie par-dessus cette considération parce qu'elle avait sujet de se plaindre de lui et qu'il prenait tous les jours les intérêts de la reine contre les siens propres.

Les personnes galantes sont toujours bien aises qu'un prétexte leur donne lieu de parler à ceux qui les aiment. Sitôt que le vidame eut quitté Mme la Dauphine, elle ordonna à Chastelart, qui était favori de M. d'Anville, et qui savait la passion qu'il avait pour elle, de lui aller dire, de sa part, de se trouver le soir chez la reine. Chastelart reçut cette commission avec beaucoup de joie et de respect. Ce gentilhomme était d'une bonne maison de Dauphiné; mais son mérite et son esprit le mettaient au-dessus de sa naissance. Il était reçu et bien traité de tout ce qu'il y avait de grands seigneurs à la cour, et la faveur de la maison de Montmorency l'avait particulièrement attaché à M. d'Anville. Il était bien fait de sa personne, adroit à toutes sortes d'exercices; il chantait agréablement, il faisait des vers, et avait un esprit galant et passionné qui plut si fort à M. d'Anville qu'il le fit confident de l'amour qu'il avait pour la reine dauphine. Cette confidence l'approchait de cette princesse, et ce fut en la voyant souvent qu'il prit le commencement de cette malheureuse passion qui lui ôta la raison et qui lui coûta enfin la vie.

M. d'Anville ne manqua pas d'être le soir chez la reine; il se trouva heureux que Mme la Dauphine l'eût choisi pour travailler à une chose qu'elle désirait, et il lui promit d'obéir exactement à ses ordres; mais Mme de Valentinois, ayant été avertie du dessein de ce mariage, l'avait traversé avec tant de soin, et avait

tellement prévenu le roi que, lorsque M. d'Anville lui
en parla, il lui fit paraître qu'il ne l'approuvait pas et
lui ordonna même de le dire au prince de Montpensier.
L'on peut juger ce que sentit Mme de Chartres par
la rupture d'une chose qu'elle avait tant désirée, dont
le mauvais succès donnait un si grand avantage à ses
ennemis et faisait un si grand tort à sa fille.

La reine dauphine témoigna à Mlle de Chartres,
avec beaucoup d'amitié, le déplaisir qu'elle avait de
lui avoir été inutile :

— Vous voyez, lui dit-elle, que j'ai un médiocre pouvoir; je suis si haïe de la reine et de la duchesse de
Valentinois qu'il est difficile que, par elles ou par ceux
qui sont dans leur dépendance, elles ne traversent toujours toutes les choses que je désire. Cependant, ajouta-
t-elle, je n'ai jamais pensé qu'à leur plaire; aussi elles
ne me haïssent qu'à cause de la reine ma mère, qui leur
a donné autrefois de l'inquiétude et de la jalousie.
Le roi en avait été amoureux avant qu'il le fût de
Mme de Valentinois; et dans les premières années de son
mariage, qu'il n'avait point encore d'enfants, quoiqu'il
aimât cette duchesse, il parut quasi résolu de se démarier
pour épouser la reine ma mère. Mme de Valentinois qui
craignait une femme qu'il avait déjà aimée, et dont la
beauté et l'esprit pouvaient diminuer sa faveur, s'unit
au connétable, qui ne souhaitait pas aussi que le roi
épousât une sœur de MM. de Guise. Ils mirent le feu
roi dans leurs sentiments, et quoiqu'il haït mortellement
la duchesse de Valentinois, comme il aimait la reine,
il travailla avec eux pour empêcher le roi de se démarier;
mais, pour lui ôter absolument la pensée d'épouser la
reine ma mère, ils firent son mariage avec le roi d'Ecosse,
qui était veuf de Mme Magdeleine, sœur du roi,
et ils le firent parce qu'il était le plus prêt à conclure,
et manquèrent aux engagements qu'on avait avec le
roi d'Angleterre, qui la souhaitait ardemment. Il s'en
fallait peu même que ce manquement ne fît une rupture
entre les deux rois. Henri VIII ne pouvait se consoler
de n'avoir pas épousé la reine ma mère; et, quelque autre
princesse française qu'on lui proposât, il disait toujours
qu'elle ne remplacerait jamais celle qu'on lui avait
ôtée. Il est vrai aussi que la reine, ma mère, était une
parfaite beauté, et que c'est une chose remarquable
que, veuve d'un duc de Longueville, trois rois aient
souhaité de l'épouser; son malheur l'a donnée au moindre

et l'a mise dans un royaume où elle ne trouve que des peines. On dit que je lui ressemble; je crains de lui ressembler aussi par sa malheureuse destinée et, quelque bonheur qui semble se préparer pour moi, je ne saurais croire que j'en jouisse. Mlle de Chartres dit à la reine que ces tristes pressentiments étaient si mal fondés qu'elle ne les conserverait pas longtemps, et qu'elle ne devait point douter que son bonheur ne répondît aux apparences.

Personne n'osait plus penser à Mlle de Chartres, par la crainte de déplaire au roi ou par la pensée de ne pas réussir auprès d'une personne qui avait espéré un prince du sang. M. de Clèves ne fut retenu par aucune de ces considérations. La mort du duc de Nevers, son père, qui arriva alors, le mit dans une entière liberté de suivre son inclination et, sitôt que le temps de la bienséance du deuil fut passé, il ne songea plus qu'aux moyens d'épouser Mlle de Chartres. Il se trouvait heureux d'en faire la proposition dans un temps où ce qui s'était passé avait éloigné les autres partis et où il était quasi assuré qu'on ne la lui refuserait pas. Ce qui troublait sa joie était la crainte de ne lui être pas agréable, et il eût préféré le bonheur de lui plaire à la certitude de l'épouser sans en être aimé.

Le chevalier de Guise lui avait donné quelque sorte de jalousie; mais comme elle était plutôt fondée sur le mérite de ce prince que sur aucune des actions de Mlle de Chartres, il songea seulement à tâcher de découvrir s'il était assez heureux pour qu'elle approuvât la pensée qu'il avait pour elle. Il ne la voyait que chez les reines ou aux assemblées; il était difficile d'avoir une conversation particulière. Il en trouva pourtant les moyens et il lui parla de son dessein et de sa passion avec tout le respect imaginable; il la pressa de lui faire connaître quels étaient les sentiments qu'elle avait pour lui et il lui dit que ceux qu'il avait pour elle étaient d'une nature qui le rendrait éternellement malheureux si elle n'obéissait que par devoir aux volontés de madame sa mère.

Comme Mlle de Chartres avait le cœur très noble et très bien fait, elle fut véritablement touchée de reconnaissance du procédé du prince de Clèves. Cette reconnaissance donna à ses réponses et à ses paroles un certain air de douceur qui suffisait pour donner de l'espérance à un homme aussi éperdument amoureux que l'était ce prince; de sorte qu'il se flatta d'une partie de ce qu'il souhaitait.

Elle rendit compte à sa mère de cette conversation, et Mme de Chartres lui dit qu'il y avait tant de grandeur et de bonnes qualités dans M. de Clèves et qu'il faisait paraître tant de sagesse pour son âge que, si elle sentait son inclination portée à l'épouser, elle y consentirait avec joie. Mlle de Chartres répondit qu'elle lui remarquait les mêmes bonnes qualités; qu'elle l'épouserait même avec moins de répugnance qu'un autre, mais qu'elle n'avait aucune inclination particulière pour sa personne.

Dès le lendemain, ce prince fit parler à Mme de Chartres; elle reçut la proposition qu'on lui faisait et elle ne craignit point de donner à sa fille un mari qu'elle ne pût aimer en lui donnant le prince de Clèves. Les articles furent conclus; on parla au roi, et ce mariage fut su de tout le monde.

M. de Clèves se trouvait heureux sans être néanmoins entièrement content. Il voyait avec beaucoup de peine que les sentiments de Mlle de Chartres ne passaient pas ceux de l'estime et de la reconnaissance et il ne pouvait se flatter qu'elle en cachât de plus obligeants, puisque l'état où ils étaient lui permettait de les faire paraître sans choquer son extrême modestie. Il ne se passait guère de jours qu'il ne lui en fît ses plaintes.

— Est-il possible, lui disait-il, que je puisse n'être pas heureux en vous épousant ? Cependant il est vrai que je ne le suis pas. Vous n'avez pour moi qu'une sorte de bonté qui ne me peut satisfaire; vous n'avez ni impatience, ni inquiétude, ni chagrin; vous n'êtes pas plus touchée de ma passion que vous le seriez d'un attachement qui ne serait fondé que sur les avantages de votre fortune et non pas sur les charmes de votre personne.

— Il y a de l'injustice à vous plaindre, lui répondit-elle; je ne sais ce que vous pouvez souhaiter au-delà de ce que je fais, et il me semble que la bienséance ne permet pas que j'en fasse davantage.

— Il est vrai, lui répliqua-t-il, que vous me donnez de certaines apparences dont je serais content s'il y avait quelque chose au-delà; mais, au lieu que la bienséance vous retienne, c'est elle seule qui vous fait faire ce que vous faites. Je ne touche ni votre inclination, ni votre cœur, et ma présence ne vous donne ni de plaisir, ni de trouble.

— Vous ne sauriez douter, reprit-elle, que je n'aie

de la joie de vous voir, et je rougis si souvent en vous voyant que vous ne sauriez douter aussi que votre vue ne me donne du trouble.

— Je ne me trompe pas à votre rougeur, répondit-il; c'est un sentiment de modestie, et non pas un mouvement de votre cœur, et je n'en tire que l'avantage que j'en dois tirer.

Mlle de Chartres ne savait que répondre, et ces distinctions étaient au-dessus de ses connaissances. M. de Clèves ne voyait que trop combien elle était éloignée d'avoir pour lui des sentiments qui le pouvaient satisfaire, puisqu'il lui paraissait même qu'elle ne les entendait pas.

Le chevalier de Guise revint d'un voyage peu de jours avant les noces. Il avait vu tant d'obstacles insurmontables au dessein qu'il avait eu d'épouser Mlle de Chartres qu'il n'avait pu se flatter d'y réussir; et néanmoins il fut sensiblement affligé de la voir devenir la femme d'un autre. Cette douleur n'éteignit pas sa passion et il ne demeura pas moins amoureux. Mlle de Chartres n'avait pas ignoré les sentiments que ce prince avait eus pour elle. Il lui fit connaître, à son retour, qu'elle était cause de l'extrême tristesse qui paraissait sur son visage; et il avait tant de mérite et tant d'agréments qu'il était difficile de le rendre malheureux sans en avoir quelque pitié. Aussi ne se pouvait-elle défendre d'en avoir; mais cette pitié ne la conduisait pas à d'autres sentiments : elle contait à sa mère la peine que lui donnait l'affection de ce prince.

Mme de Chartres admirait la sincérité de sa fille, et elle l'admirait avec raison, car jamais personne n'en a eu une si grande et si naturelle; mais elle n'admirait pas moins que son cœur ne fût point touché, et d'autant plus qu'elle voyait bien que le prince de Clèves ne l'avait touchée, non plus que les autres. Cela fut cause qu'elle prit de grands soins de l'attacher à son mari et de lui faire comprendre ce qu'elle devait à l'inclination qu'il avait eue pour elle avant que de la connaître et à la passion qu'il lui avait témoignée en la préférant à tous les autres partis, dans un temps où personne n'osait plus penser à elle.

Ce mariage s'acheva, la cérémonie s'en fit au Louvre; et le soir, le roi et les reines vinrent souper chez Mme de Chartres avec toute la cour, où ils furent reçus avec une magnificence admirable. Le chevalier de Guise n'osa se distinguer des autres et ne pas assister à cette cérémonie; mais il y fut si peu maître de sa tristesse qu'il était aisé de la remarquer.

M. de Clèves ne trouva pas que Mlle de Chartres eût changé de sentiment en changeant de nom. La qualité de mari lui donna de plus grands privilèges; mais elle ne lui donna pas une autre place dans le cœur de sa femme. Cela fit aussi que, pour être son mari, il ne laissa pas d'être son amant, parce qu'il avait toujours quelque chose à souhaiter au-delà de sa possession; et, quoiqu'elle vécût parfaitement bien avec lui, il n'était pas entièrement heureux. Il conservait pour elle une passion violente et inquiète qui troublait sa joie; la jalousie n'avait point de part à ce trouble : jamais mari n'a été si loin d'en prendre et jamais femme n'a été si loin d'en donner. Elle était néanmoins exposée au milieu de la cour; elle allait tous les jours chez les reines et chez Madame. Tout ce qu'il y avait d'hommes jeunes et galants la voyait chez elle et chez le duc de Nevers, son beau-frère, dont la maison était ouverte à tout le monde; mais elle avait un air qui inspirait un si grand respect et qui paraissait si éloigné de la galanterie que le maréchal de Saint-André, quoique audacieux et soutenu de la faveur du roi, était touché de sa beauté, sans oser le lui faire paraître que par des soins et des devoirs. Plusieurs autres étaient dans le même état; et Mme de Chartres joignait à la sagesse de sa fille une conduite si exacte pour toutes les bienséances qu'elle achevait de la faire paraître une personne où l'on ne pouvait atteindre.

La duchesse de Lorraine, en travaillant à la paix, avait aussi travaillé pour le mariage du duc de Lorraine, son fils. Il avait été conclu avec Mme Claude de France, seconde fille du roi. Les noces en furent résolues pour le mois de février.

Cependant le duc de Nemours était demeuré à Bruxelles, entièrement rempli et occupé de ses desseins pour l'Angleterre. Il en recevait ou y envoyait continuellement des courriers : ses espérances augmentaient tous les jours, et enfin Lignerolles lui manda qu'il était temps que sa présence vînt achever ce qui était si bien commencé. Il reçut cette nouvelle avec toute la joie que peut avoir un jeune homme ambitieux qui se voit porté au trône par sa seule réputation. Son esprit s'était insensiblement accoutumé à la grandeur de cette fortune et, au lieu qu'il l'avait rejetée d'abord comme une chose où il ne pouvait parvenir, les difficultés s'étaient effacées de son imagination et il ne voyait plus d'obstacles.

Il envoya en diligence à Paris donner tous les ordres nécessaires pour faire un équipage magnifique, afin de paraître en Angleterre avec un éclat proportionné au dessein qui l'y conduisait, et il se hâta lui-même de venir à la cour pour assister au mariage de M. de Lorraine.

Il arriva la veille des fiançailles; et, dès le même soir qu'il fut arrivé, il alla rendre compte au roi de l'état de son dessein et recevoir ses ordres et ses conseils pour ce qu'il lui restait à faire. Il alla ensuite chez les reines. Mme de Clèves n'y était pas, de sorte qu'elle ne le vit point et ne sut pas même qu'il fût arrivé. Elle avait ouï parler de ce prince à tout le monde comme de ce qu'il y avait de mieux fait et de plus agréable à la cour; et surtout Mme la Dauphine le lui avait dépeint d'une sorte et lui en avait parlé tant de fois qu'elle lui avait donné de la curiosité, et même de l'impatience de le voir.

Elle passa tout le jour des fiançailles chez elle à se parer, pour se trouver le soir au bal et au festin royal qui se faisait au Louvre. Lorsqu'elle arriva, l'on admira sa beauté et sa parure; le bal commença et, comme elle dansait avec M. de Guise, il se fit un assez grand bruit vers la porte de la salle, comme de quelqu'un qui entrait et à qui on faisait place. Mme de Clèves acheva de danser et, pendant qu'elle cherchait des yeux quelqu'un qu'elle avait dessein de prendre, le roi lui cria de prendre celui qui arrivait. Elle se tourna et vit un homme qu'elle crut d'abord ne pouvoir être que M. de Nemours, qui passait par-dessus quelques sièges pour arriver où l'on dansait. Ce prince était fait d'une sorte qu'il était difficile de n'être pas surprise de le voir quand on ne l'avait jamais vu, surtout ce soir-là, où le soin qu'il avait pris de se parer augmentait encore l'air brillant qui était dans sa personne; mais il était difficile aussi de voir Mme de Clèves pour la première fois sans avoir un grand étonnement.

M. de Nemours fut tellement surpris de sa beauté que, lorsqu'il fut proche d'elle, et qu'elle lui fit la révérence, il ne put s'empêcher de donner des marques de son admiration. Quand ils commencèrent à danser, il

s'éleva dans la salle un murmure de louanges. Le roi
et les reines se souvinrent qu'ils ne s'étaient jamais vus,
et trouvèrent quelque chose de singulier de les voir
danser ensemble sans se connaître. Ils les appelèrent
quand ils eurent fini sans leur donner le loisir de parler
à personne et leur demandèrent s'ils n'avaient pas bien
envie de savoir qui ils étaient, et s'ils ne s'en doutaient
point.

— Pour moi, madame, dit M. de Nemours, je n'ai
pas d'incertitude; mais comme Mme de Clèves n'a pas
les mêmes raisons pour deviner qui je suis que celles
que j'ai pour la reconnaître, je voudrais bien que Votre
Majesté eût la bonté de lui apprendre mon nom.

— Je crois, dit Mme la Dauphine, qu'elle le sait aussi
bien que vous savez le sien.

— Je vous assure, madame, reprit Mme de Clèves,
qui paraissait un peu embarrassée, que je ne devine pas
si bien que vous pensez.

— Vous devinez fort bien, répondit Mme la Dauphine; et il y a même quelque chose d'obligeant pour
M. de Nemours à ne vouloir pas avouer que vous le
connaissez sans l'avoir jamais vu.

La reine les interrompit pour faire continuer le bal;
M. de Nemours prit la reine dauphine. Cette princesse
était d'une parfaite beauté et avait paru telle aux yeux
de M. de Nemours avant qu'il allât en Flandre; mais,
de tout le soir, il ne put admirer que Mme de Clèves.

Le chevalier de Guise, qui l'adorait toujours, était
à ses pieds, et ce qui se venait de passer lui avait donné
une douleur sensible. Il [le] prit comme un présage
que la fortune destinait M. de Nemours à être amoureux de Mme de Clèves; et, soit qu'en effet il eût paru
quelque trouble sur son visage, ou que la jalousie fît voir
au chevalier de Guise au-delà de la vérité, il crut qu'elle
avait été touchée de la vue de ce prince, et il ne put
s'empêcher de lui dire que M. de Nemours était bien
heureux de commencer à être connu d'elle par une
aventure qui avait quelque chose de galant et d'extraordinaire.

Mme de Clèves revint chez elle, l'esprit si rempli de
tout ce qui s'était passé au bal que, quoiqu'il fût fort
tard, elle alla dans la chambre de sa mère pour lui en
rendre compte; et elle lui loua M. de Nemours avec un
certain air qui donna à Mme de Chartres la même pensée
qu'avait eue le chevalier de Guise.

Le lendemain, la cérémonie des noces se fit. Mme de Clèves y vit le duc de Nemours avec une mine et une grâce si admirables qu'elle en fut encore plus surprise.

Les jours suivants, elle le vit chez la reine dauphine, elle le vit jouer à la paume avec le roi, elle le vit courre la bague, elle l'entendit parler; mais elle le vit toujours surpasser de si loin tous les autres et se rendre tellement maître de la conversation dans tous les lieux où il était, par l'air de sa personne et par l'agrément de son esprit, qu'il fit, en peu de temps, une grande impression dans son cœur.

Il est vrai aussi que, comme M. de Nemours sentait pour elle une inclination violente, qui lui donnait cette douceur et cet enjouement qu'inspirent les premiers désirs de plaire, il était encore plus aimable qu'il n'avait accoutumé de l'être; de sorte que, se voyant souvent, et se voyant l'un et l'autre ce qu'il y avait de plus parfait à la cour, il était difficile qu'ils ne se plussent infiniment.

La duchesse de Valentinois était de toutes les parties de plaisir, et le roi avait pour elle la même vivacité et les mêmes soins que dans les commencements de sa passion. Mme de Clèves, qui était dans cet âge où l'on ne croit pas qu'une femme puisse être aimée quand elle a passé vingt-cinq ans, regardait avec un extrême étonnement l'attachement que le roi avait pour cette duchesse, qui était grand-mère, et qui venait de marier sa petite-fille. Elle en parlait souvent à Mme de Chartres :

— Est-il possible, madame, lui disait-elle, qu'il y ait si longtemps que le roi en soit amoureux ? Comment s'est-il pu attacher à une personne qui était beaucoup plus âgée que lui, qui avait été maîtresse de son père, et qui l'est encore de beaucoup d'autres, à ce que j'ai ouï dire ?

— Il est vrai, répondit-elle, que ce n'est ni le mérite, ni la fidélité de Mme de Valentinois qui a fait naître la passion du roi, ni qui l'a conservée, et c'est aussi en quoi il n'est pas excusable; car si cette femme avait eu de la jeunesse et de la beauté jointes à sa naissance, qu'elle eût eu le mérite de n'avoir jamais rien aimé, qu'elle eût aimé le roi avec une fidélité exacte, qu'elle l'eût aimé par rapport à sa seule personne sans intérêt de grandeur, ni de fortune, et sans se servir de son pouvoir que pour des choses honnêtes ou agréables au roi même, il faut avouer qu'on aurait eu de la peine à s'empêcher de louer ce prince du grand attachement qu'il a pour elle. Si je ne craignais, continua Mme de Chartres, que vous dis[s]iez de moi ce que l'on dit de toutes les femmes de mon âge, qu'elles aiment à conter les histoires de leur temps, je vous apprendrais le commencement de la passion du roi pour cette duchesse, et plusieurs choses de la cour du feu roi qui ont même beaucoup de rapport avec celles qui se passent encore présentement.

— Bien loin de vous accuser, reprit Mme de Clèves, de redire les histoires passées, je me plains, madame, que vous ne m'ayez pas instruite des présentes et que vous ne m'ayez point appris les divers intérêts et les diverses liaisons de la cour. Je les ignore si entièrement que je croyais, il y a peu de jours, que M. le connétable était fort bien avec la reine.

— Vous aviez une opinion bien opposée à la vérité, répondit Mme de Chartres. La reine hait M. le connétable, et si elle a jamais quelque pouvoir, il ne s'en apercevra que trop. Elle sait qu'il a dit plusieurs fois au roi que, de tous ses enfants, il n'y avait que les naturels qui lui ressemblassent.

— Je n'eusse jamais soupçonné cette haine, interrompit Mme de Clèves, après avoir vu le soin que la reine avait d'écrire à M. le connétable pendant sa prison, la joie qu'elle a témoignée à son retour, et comme elle l'appelle toujours mon compère, aussi bien que le roi.

— Si vous jugez sur les apparences en ce lieu-ci, répondit Mme de Chartres, vous serez souvent trompée : ce qui paraît n'est presque jamais la vérité.

« Mais, pour revenir à Mme de Valentinois, vous savez qu'elle s'appelle Diane de Poitiers ; sa maison est très illustre, elle vient des anciens ducs Aquitaine, son aïeule était fille naturelle de Louis XI, et enfin il n'y a rien que de grand dans sa naissance. Saint-Vallier, son père, se trouva embarrassé dans l'affaire du connétable de Bourbon, dont vous avez ouï parler. Il fut condamné à avoir la tête tranchée et conduit sur l'échafaud. Sa fille, dont la beauté était admirable, et qui avait déjà plu au feu roi, fit si bien (je ne sais par quels moyens) qu'elle obtint la vie de son père. On lui porta sa grâce comme il n'attendait que le coup de la mort ; mais la peur l'avait tellement saisi qu'il n'avait plus de connaissance, et il mourut peu de jours après. Sa fille parut à la cour comme la maîtresse du roi. Le voyage d'Italie et la prison de ce prince interrompirent cette passion. Lorsqu'il revint d'Espagne et que madame la régente alla au-devant de lui à Bayonne, elle mena toutes ses filles, parmi lesquelles, était Mlle de Pisseleu, qui a été depuis la duchesse d'Etampes. Le roi en devint amoureux. Elle était inférieure en naissance, en esprit et en beauté à Mme de Valentinois, et elle n'avait au-dessus d'elle que l'avantage de la grande jeunesse. Je lui ai ouï dire plusieurs fois qu'elle était née le jour que Diane de Poitiers avait été mariée ; la haine le lui faisait dire, et non pas la vérité : car je suis bien trompée si la duchesse de Valentinois n'épousa M. de Brézé, grand sénéchal de Normandie, dans le même temps que le roi devint amoureux de Mme d'Etampes. Jamais il n'y a eu une si grande haine que l'a été celle de ces deux femmes. La duchesse de Valentinois ne pouvait pardonner à Mme d'Etampes de lui avoir ôté le titre de maîtresse du roi. Mme d'Etampes avait une jalousie violente contre Mme de Valentinois parce que le roi conservait un commerce avec elle. Ce prince n'avait pas une fidélité exacte pour ses maîtresses ; il y en avait toujours une qui avait le titre et les honneurs ; mais les dames que l'on appelait de la petite bande le partageaient tour à tour. La perte du dauphin, son fils, qui mourut à Tournon, et que l'on crut empoisonné, lui donna une sensible affliction. Il n'avait pas la même tendresse, ni le même goût pour son second fils, qui règne présentement ; il ne lui trouvait pas assez de hardiesse, ni assez de vivacité. Il s'en plaignit un jour à Mme de Valentinois, et elle lui dit qu'elle voulait le faire devenir amoureux d'elle pour le rendre plus vif et plus agréable. Elle y réussit comme vous le voyez ; il y a plus de vingt ans que cette passion dure sans qu'elle ait été altérée ni par le temps, ni par les obstacles.

« Le feu roi s'y opposa d'abord, et soit qu'il eût encore assez d'amour pour Mme de Valentinois pour avoir de la jalousie, ou qu'il fût poussé par la duchesse d'Etampes, qui était au désespoir que M. le Dauphin fût attaché à son ennemie, il est certain qu'il vit cette passion avec une colère et un chagrin dont il donnait tous les jours des marques. Son fils ne craignit ni sa colère, ni sa haine, et rien ne put l'obliger à diminuer son attachement, ni à le cacher ; il fallut que le roi s'accoutumât à le souffrir. Aussi cette opposition à ses volontés l'éloigna encore de lui et l'attacha davantage au duc d'Orléans, son troisième fils. C'était un prince bien fait, beau, plein de feu et d'ambition, d'une jeunesse fougueuse, qui avait besoin d'être modéré, mais qui eût fait aussi un prince d'une grande élévation si l'âge eût mûri son esprit.

« Le rang d'aîné qu'avait le dauphin, et la faveur du roi qu'avait le duc d'Orléans, faisaient entre eux une sorte d'émulation qui allait jusqu'à la haine. Cette émulation avait commencé dès leur enfance et s'était toujours conservée. Lorsque l'Empereur passa en France, il donna une préférence entière au duc d'Orléans sur M. le Dauphin, qui la ressentit si vivement que, comme cet Empereur était à Chantilly, il voulut obliger M. le connétable à l'arrêter sans attendre le commandement du roi. M. le connétable ne le voulut pas ; le roi le blâma dans la suite de n'avoir pas suivi le conseil de son fils ; et lorsqu'il l'éloigna de la cour, cette raison y eut beaucoup de part.

« La division des deux frères donna la pensée à la duchesse d'Etampes de s'appuyer de M. le duc d'Orléans pour la soutenir auprès du roi contre Mme de Valentinois. Elle y réussit : ce prince, sans être amoureux d'elle, n'entra guère moins dans ses intérêts que le dauphin était dans ceux de Mme de Valentinois. Cela fit deux cabales dans la cour, telles que vous pouvez vous les imaginer ; mais ces intrigues ne se bornèrent pas seulement à des démêlés de femmes.

« L'Empereur, qui avait conservé de l'amitié pour le duc d'Orléans, avait offert plusieurs fois de lui remettre le duché de Milan. Dans les propositions qui se firent depuis pour la paix, il faisait espérer de lui donner les dix-sept provinces et de lui faire épouser sa fille. M. le Dauphin ne souhaitait ni la paix, ni ce mariage. Il se servit de M. le connétable, qu'il a toujours aimé, pour faire voir au roi de quelle importance il était de ne pas donner à son successeur un frère aussi puissant que le serait un duc d'Orléans avec l'alliance de l'Empereur et les dix-sept provinces. M. le connétable entra d'autant mieux dans les sentiments de M. le Dauphin qu'il s'opposait par là à ceux de Mme d'Etampes, qui était son ennemie déclarée, et qui souhaitait ardemment l'élévation de M. le duc d'Orléans.

« M. le Dauphin commandait alors l'armée du roi en Champagne et avait réduit celle de l'Empereur en une telle extrémité qu'elle eût péri entièrement si la duchesse d'Etampes, craignant que de trop grands avantages ne nous fissent refuser la paix et l'alliance de l'Empereur pour M. le duc d'Orléans, n'eût fait secrètement avertir les ennemis de surprendre Epernay et Château-Thierry qui étaient pleins de vivres. Ils le firent et sauvèrent par ce moyen toute leur armée.

« Cette duchesse ne jouit pas longtemps du succès de sa trahison. Peu après, M. le duc d'Orléans mourut, à Farmoutier, d'une espèce de maladie contagieuse. Il aimait une des plus belles femmes de la cour et en était aimé. Je ne vous la nommerai pas, parce qu'elle a vécu depuis avec tant de sagesse et qu'elle a même caché avec tant de soin la passion qu'elle avait pour ce prince qu'elle a mérité que l'on conserve sa réputation. Le hasard fit qu'elle reçut la nouvelle de la mort de son mari le même jour qu'elle apprit celle de M. d'Orléans ; de sorte qu'elle eut ce prétexte pour cacher sa véritable affliction, sans avoir la peine de se contraindre.

« Le roi ne survécut guère le prince son fils ; il mourut deux ans après. Il recommanda à M. le Dauphin de se servir du cardinal de Tournon et de l'amiral d'Annebauld, et ne parla point de M. le connétable, qui était pour lors relégué à Chantilly. Ce fut néanmoins la première chose que fit le roi, son fils, de le rappeler, et de lui donner le gouvernement des affaires.

« Mme d'Etampes fut chassée et reçut tous les mauvais traitements qu'elle pouvait attendre d'une ennemie toute-puissante ; la duchesse de Valentinois se vengea alors pleinement, et de cette duchesse, et de tous ceux qui lui avaient déplu. Son pouvoir parut plus absolu sur l'esprit du roi qu'il ne paraissait encore pendant qu'il était dauphin. Depuis douze ans que ce prince règne, elle est maîtresse absolue de toutes choses ; elle dispose des charges et des affaires ; elle a fait chasser le cardinal de Tournon, le chancelier Olivier, et Villeroy. Ceux qui ont voulu éclairer le roi sur sa conduite ont péri dans cette entreprise. Le comte de Taix, grand maître de l'artillerie, qui ne l'aimait pas, ne put s'empêcher de parler de ses galanteries et surtout de celle du comte de Brissac, dont le roi avait déjà eu beaucoup de jalousie ; néanmoins elle fit si bien que le comte de Taix fut disgracié ; on lui ôta sa charge ; et, ce qui est presque incroyable, elle la fit donner au comte de Brissac et l'a fait ensuite maréchal de France. La jalousie du roi augmenta néanmoins d'une telle sorte qu'il ne put souffrir que ce maréchal demeurât à la cour ; mais la jalousie, qui est aigre et violente en tous les autres, est douce et modérée en lui par l'extrême respect qu'il a pour sa maîtresse; en sorte qu'il n'osa éloigner son rival que sur le prétexte de lui donner le gouvernement de Piémont. Il y a passé plusieurs années; il revint, l'hiver dernier, sur le prétexte de demander des troupes et d'autres choses nécessaires pour l'armée qu'il commande. Le désir de revoir Mme de Valentinois, et la crainte d'en être oublié, avaient peut-être beaucoup de part à ce voyage. Le roi le reçut avec une grande froideur. Messieurs de Guise qui ne l'aiment pas, mais qui n'osent le témoigner à cause de Mme de Valentinois, se servirent de monsieur le vidame, qui est son ennemi déclaré, pour empêcher qu'il n'obtînt aucune des choses qu'il était venu demander. Il n'était pas difficile de lui nuire : le roi le haïssait, et sa présence lui donnait de l'inquiétude; de sorte qu'il fut contraint de s'en retourner sans remporter aucun fruit de son voyage, que d'avoir peut-être rallumé dans le cœur de Mme de Valentinois des sentiments que l'absence commençait d'éteindre. Le roi a bien eu d'autres sujets de jalousie; mais ou il ne les a pas connus, ou il n'a osé s'en plaindre.

« Je ne sais, ma fille, ajouta Mme de Chartres, si vous ne trouverez point que je vous ai plus appris de choses que vous n'aviez envie d'en savoir.

— Je suis très éloignée, madame, de faire cette plainte, répondit Mme de Clèves; et, sans la peur de vous importuner, je vous demanderais encore plusieurs circonstances que j'ignore.

La passion de M. de Nemours pour Mme de Clèves fut d'abord si violente qu'elle lui ôta le goût et même le souvenir de toutes les personnes qu'il avait aimées et avec qui il avait conservé des commerces pendant son absence. Il ne prit pas seulement le soin de chercher des prétextes pour rompre avec elles; il ne put se donner la patience d'écouter leurs plaintes et de répondre à leurs reproches. Mme la dauphine, pour qui il avait eu des sentiments assez passionnés, ne put tenir dans son cœur contre Mme de Clèves. Son impatience pour le voyage d'Angleterre commença même à se ralentir et il ne pressa plus avec tant d'ardeur les choses qui étaient nécessaires pour son départ. Il allait souvent chez la reine dauphine, parce que Mme de Clèves y allait souvent, et il n'était pas fâché de laisser imaginer ce que l'on avait cru de ses sentiments pour cette reine. Mme de Clèves lui paraissait d'un si grand prix qu'il se résolut de manquer plutôt à lui donner des marques de sa passion que de hasarder de la faire connaître au public. Il n'en parla pas même au vidame de Chartres, qui était son ami intime, et pour qui il n'avait rien de caché. Il prit une conduite si sage et s'observa avec tant de soin que personne ne le soupçonna d'être amoureux de Mme de Clèves, que le chevalier de Guise; et elle aurait eu peine à s'en apercevoir elle-même si l'inclination qu'elle avait pour lui ne lui eût donné une attention particulière pour ses actions, qui ne lui permît pas d'en douter.

Elle ne se trouva pas la même disposition à dire à sa mère ce qu'elle pensait des sentiments de ce prince qu'elle avait eue à lui parler de ses autres amants; sans avoir un dessein formé de lui cacher, elle ne lui en parla point. Mais Mme de Chartres ne le voyait que trop, aussi bien que le penchant que sa fille avait pour lui. Cette connaissance lui donna une douleur sensible; elle jugeait bien le péril où était cette jeune personne, d'être aimée d'un homme fait comme M. de Nemours pour qui elle avait de l'inclination. Elle fut entièrement confirmée dans les soupçons qu'elle avait de cette inclination par une chose qui arriva peu de jours après.

Le maréchal de Saint-André, qui cherchait toutes les occasions de faire voir sa magnificence, supplia le roi, sur le prétexte de lui montrer sa maison, qui ne venait que d'être achevée, de lui vouloir faire l'honneur d'y aller souper avec les reines. Ce maréchal était bien aise aussi de faire paraître, aux yeux de Mme de Clèves, cette dépense éclatante qui allait jusqu'à la profusion.

Quelques jours avant celui qui avait été choisi pour ce souper, le roi dauphin, dont la santé était assez mauvaise, s'était trouvé mal, et n'avait vu personne. La reine, sa femme, avait passé tout le jour auprès de lui. Sur le soir, comme il se portait mieux, il fit entrer toutes les personnes de qualité qui étaient dans son antichambre. La reine dauphine s'en alla chez elle; elle y trouva Mme de Clèves et quelques autres dames qui étaient les plus dans sa familiarité.

Comme il était déjà assez tard, et qu'elle n'était point habillée, elle n'alla pas chez la reine; elle fit dire qu'on ne la voyait point, et fit apporter ses pierreries afin d'en choisir pour le bal du maréchal de Saint-André et pour en donner à Mme de Clèves, à qui elle en avait promis. Comme elles étaient dans cette occupation, le prince de Condé arriva. Sa qualité lui rendait toutes les entrées libres. La reine dauphine lui dit qu'il venait sans doute de chez le roi son mari et lui demanda ce que l'on y faisait.

— L'on dispute contre M. de Nemours, madame, répondit-il ; et il défend avec tant de chaleur la cause qu'il soutient qu'il faut que ce soit la sienne. Je crois qu'il a quelque maîtresse qui lui donne de l'inquiétude quand elle est au bal, tant il trouve que c'est une chose fâcheuse, pour un amant, que d'y voir la personne qu'il aime.

— Comment ! reprit Mme la Dauphine, M. de Nemours ne veut pas que sa maîtresse aille au bal ? J'avais bien cru que les maris pouvaient souhaiter que leurs femmes n'y allassent pas ; mais, pour les amants, je n'avais jamais pensé qu'ils pussent être de ce sentiment.

— M. de Nemours trouve, répliqua le prince de Condé, que le bal est ce qu'il y a de plus insupportable pour les amants, soit qu'ils soient aimés ou qu'ils ne le soient pas. Il dit que, s'ils sont aimés, ils ont le chagrin de l'être moins pendant plusieurs jours ; qu'il n'y a point de femme que le soin de sa parure n'empêche de songer à son amant ; qu'elles en sont entièrement occupées ; que ce soin de se parer est pour tout le monde aussi bien que pour celui qu'elles aiment ; que, lorsqu'elles sont au bal, elles veulent plaire à tous ceux qui les regardent ; que, quand elles sont contentes de leur beauté, elles en ont une joie dont leur amant ne fait pas la plus grande partie. Il dit aussi que, quand on n'est point aimé, on souffre encore davantage de voir sa maîtresse dans une assemblée ; que, plus elle est admirée du public, plus on se trouve malheureux de n'en être point aimé ; que l'on craint toujours que sa beauté ne fasse naître quelque amour plus heureux que le sien. Enfin il trouve qu'il n'y a point de souffrance pareille à celle de voir sa maîtresse au bal, si ce n'est de savoir qu'elle y est, et de n'y être pas.

Mme de Clèves ne faisait pas semblant d'entendre ce que disait le prince de Condé ; mais elle l'écoutait avec attention. Elle jugeait aisément quelle part elle avait à l'opinion que soutenait M. de Nemours, et surtout à ce qu'il disait du chagrin de n'être pas au bal où était sa maîtresse, parce qu'il ne devait pas être à celui du maréchal de Saint-André, et que le roi l'envoyait au-devant du duc de Ferrare.

La reine dauphine riait avec le prince de Condé et n'approuvait pas l'opinion de M. de Nemours.

— Il n'y a qu'une occasion, madame, lui dit ce

prince, où M. de Nemours consente que sa maîtresse aille au bal, alors c'est que c'est lui qui le donne; et il dit que, l'année passée qu'il en donna un à Votre Majesté, il trouva que sa maîtresse lui faisait une faveur d'y venir, quoiqu'elle ne semblât que vous y suivre; que c'est toujours faire une grâce à un amant que d'aller prendre sa part à un plaisir qu'il donne; que c'est aussi une chose agréable pour l'amant, que sa maîtresse le voie le maître d'un lieu où est toute la cour, et qu'elle le voie se bien acquitter d'en faire les honneurs.

— M. de Nemours avait raison, dit la reine dauphine en souriant, d'approuver que sa maîtresse allât au bal. Il y avait alors un si grand nombre de femmes à qui il donnait cette qualité que, si elles n'y fussent point venues, il y aurait eu peu de monde.

Sitôt que le prince de Condé avait commencé à conter les sentiments de M. de Nemours sur le bal, Mme de Clèves avait senti une grande envie de ne point aller à celui du maréchal de Saint-André. Elle entra aisément dans l'opinion qu'il ne fallait pas aller chez un homme dont on était aimée, et elle fut bien aise d'avoir une raison de sévérité pour faire une chose qui était une faveur pour M. de Nemours; elle emporta néanmoins la parure que lui avait donnée la reine dauphine; mais, le soir, lorsqu'elle la montra à sa mère, elle lui dit qu'elle n'avait pas dessein de s'en servir, que le maréchal de Saint-André prenait tant de soin de faire voir qu'il était attaché à elle qu'elle ne doutait point qu'il ne voulût aussi faire croire qu'elle aurait part au divertissement qu'il devait donner au roi et que, sous prétexte de faire l'honneur de chez lui, il lui rendrait des soins dont peut-être elle serait embarrassée.

Mme de Chartres combattit quelque temps l'opinion de sa fille, comme la trouvant particulière; mais, voyant qu'elle s'y opiniâtrait, elle s'y rendit, et lui dit qu'il fallait donc qu'elle fît la malade pour avoir un prétexte de n'y pas aller, parce que les raisons qui l'en empêchaient ne seraient pas approuvées et qu'il fallait même empêcher qu'on ne les soupçonnât. Mme de Clèves consentit volontiers à passer quelques jours chez elle pour ne point aller dans un lieu où M. de Nemours ne devrait pas être; et il partit sans avoir le plaisir de savoir qu'elle n'irait pas.

Il revint le lendemain du bal, il sut qu'elle ne s'y était pas trouvée; mais comme il ne savait pas que l'on eût redit devant elle la conversation de chez le roi dauphin, il était bien éloigné de croire qu'il fût assez heureux pour l'avoir empêchée d'y aller.

Le lendemain, comme il était chez la reine et qu'il parlait à Mme la dauphine, Mme de Chartres et Mme de Clèves y vinrent et s'approchèrent de cette princesse. Mme de Clèves était un peu négligée, comme une personne qui s'était trouvée mal; mais son visage ne répondait pas à son habillement.

— Vous voilà si belle, lui dit Mme la Dauphine, que je ne saurais croire que vous ayez été malade. Je pense que M. le prince de Condé, en vous contant l'avis de M. de Nemours sur le bal, vous a persuadée que vous feriez une faveur au maréchal de Saint-André d'aller chez lui et que c'est ce qui vous a empêchée d'y venir.

Mme de Clèves rougit de ce que Mme la Dauphine devinait si juste et de ce qu'elle disait devant M. de Nemours ce qu'elle avait deviné.

Mme de Chartres vit dans ce moment pourquoi sa fille n'avait pas voulu aller au bal; et, pour empêcher que M. de Nemours ne le jugeât aussi bien qu'elle, elle prit la parole avec un air qui semblait être appuyé sur la vérité.

— Je vous assure, madame, dit-elle à Mme la Dauphine, que Votre Majesté fait plus d'honneur à ma fille qu'elle n'en mérite. Elle était véritablement malade; mais je crois que, si je ne l'en eusse empêchée, elle n'eût pas laissé de vous suivre et de se montrer aussi changée qu'elle était, pour avoir le plaisir de voir tout ce qu'il y a eu d'extraordinaire au divertissement d'hier au soir.

Mme la Dauphine crut ce que disait Mme de Chartres, M. de Nemours fut bien fâché d'y trouver de l'apparence; néanmoins la rougeur de Mme de Clèves lui fit soupçonner que ce que Mme la Dauphine avait dit n'était pas entièrement éloigné de la vérité. Mme de Clèves avait d'abord été fâchée que M. de Nemours eût eu lieu de croire que c'était lui qui l'avait empêchée d'aller chez le maréchal de Saint-André; mais ensuite elle sentit quelque espèce de chagrin que sa mère lui en eût entièrement ôté l'opinion.

Quoique l'assemblée de Cercamp eût été rompue, les négociations pour la paix avaient toujours continué et les choses s'y disposèrent d'une telle sorte que, sur la fin de février, on se rassembla à Cateau-Cambrésis. Les mêmes députés y retournèrent; et l'absence du maréchal de Saint-André défit M. de Nemours du rival qui lui était plus redoutable, [tant] par l'attention qu'il avait à observer ceux qui approchaient Mme de Clèves que par le progrès qu'il pouvait faire auprès d'elle.

Mme de Chartres n'avait pas voulu laisser voir à sa fille qu'elle connaissait ses sentiments pour ce prince, de peur de se rendre suspecte sur les choses qu'elle avait envie de lui dire. Elle se mit un jour à parler de lui; elle lui en dit du bien et y mêla beaucoup de louanges empoisonnées sur la sagesse qu'il avait d'être incapable de devenir amoureux et sur ce qu'il ne se faisait qu'un plaisir et non pas un attachement sérieux du commerce des femmes. Ce n'est pas, ajouta-t-elle, que l'on ne l'ait soupçonné d'avoir une grande passion pour la reine dauphine; je vois même qu'il y va très souvent, et je vous conseille d'éviter, autant que vous pourrez, de lui parler, et surtout en particulier, parce que, Mme la Dauphine vous traitant comme elle fait, on dirait bientôt que vous êtes leur confidente, et vous savez combien cette réputation est désagréable. Je suis d'avis, si ce bruit continue, que vous alliez un peu moins chez Mme la Dauphine, afin de ne vous pas trouver mêlée dans des aventures de galanterie.

Mme de Clèves n'avait jamais ouï parler de M. de Nemours et de Mme la Dauphine; elle fut si surprise de ce que lui dit sa mère, et elle crut si bien voir combien elle s'était trompée dans tout ce qu'elle avait pensé des sentiments de ce prince, qu'elle en changea de visage. Mme de Chartres s'en aperçut : il vint du monde dans ce moment, Mme de Clèves s'en alla chez elle et s'enferma dans son cabinet.

L'on ne peut exprimer la douleur qu'elle sentit de connaître, par ce que lui venait de dire sa mère, l'intérêt qu'elle prenait à M. de Nemours : elle n'avait encore osé se l'avouer à elle-même. Elle vit alors que les sentiments qu'elle avait pour lui étaient ceux que M. de Clèves lui avait tant demandés; elle trouva combien il était honteux de les avoir pour un autre que pour un mari qui les méritait. Elle se sentit blessée et embarrassée de la crainte que M. de Nemours ne la voulût faire servir de prétexte à Mme la Dauphine et cette pensée la détermina à conter à Mme de Chartres ce qu'elle ne lui avait point encore dit.

Elle alla le lendemain matin dans sa chambre pour exécuter ce qu'elle avait résolu; mais elle trouva que Mme de Chartres avait un peu de fièvre, de sorte qu'elle ne voulut pas lui parler. Ce mal paraissait néanmoins si peu de chose que Mme de Clèves ne laissa pas d'aller l'après-dînée chez Mme la Dauphine : elle était dans son cabinet avec deux ou trois dames qui étaient le plus avant dans sa familiarité.

— Nous parlions de M. de Nemours, lui dit cette reine en la voyant, et nous admirions combien il est changé depuis son retour de Bruxelles. Devant que d'y aller, il avait un nombre infini de maîtresses, et c'était même un défaut en lui ; car il ménageait également celles qui avaient du mérite et celles qui n'en avaient pas. Depuis qu'il est revenu, il ne connaît ni les unes ni les autres ; il n'y a jamais eu un si grand changement ; je trouve même qu'il y en a dans son humeur, et qu'il est moins gai que de coutume.

Mme de Clèves ne répondit rien ; et elle pensait avec honte qu'elle aurait pris tout ce que l'on disait du changement de ce prince pour des marques de sa passion si elle n'avait point été détrompée. Elle se sentait quelque aigreur contre Mme la Dauphine de lui voir chercher des raisons et s'étonner d'une chose dont apparemment elle savait mieux la vérité que personne. Elle ne put s'empêcher de lui en témoigner quelque chose ; et, comme les autres dames s'éloignèrent, elle s'approcha d'elle et lui dit tout bas :

— Est-ce aussi pour moi, madame, que vous venez de parler, et voudriez-vous me cacher que vous fussiez celle qui a fait changer de conduite à M. de Nemours ?

— Vous êtes injuste, lui dit Mme la Dauphine, vous savez que je n'ai rien de caché pour vous. Il est vrai que M. de Nemours, devant que d'aller à Bruxelles, a eu, je crois, intention de me laisser entendre qu'il ne me haïssait pas ; mais, depuis qu'il est revenu, il ne m'a pas même paru qu'il se souvînt des choses qu'il avait faites, et j'avoue que j'ai de la curiosité de savoir ce qui l'a fait changer. Il sera bien difficile que je ne le démêle, ajouta-t-elle ; le vidame de Chartres, qui est son ami intime, est amoureux d'une personne sur qui j'ai quelque pouvoir et je saurai par ce moyen ce qui a fait ce changement.

Mme la Dauphine parla d'un air qui persuada Mme de Clèves, et elle se trouva, malgré elle, dans un état plus calme et plus doux que celui où elle était auparavant.

Lorsqu'elle revint chez sa mère, elle sut qu'elle était beaucoup plus mal qu'elle ne l'avait laissée. La fièvre lui avait redoublé et, les jours suivants, elle augmenta de telle sorte qu'il parut que ce serait une maladie considérable. Mme de Clèves était dans une affliction extrême, elle ne sortait point de la chambre de sa mère; M. de Clèves y passait aussi presque tous les jours et, par l'intérêt qu'il prenait à Mme de Chartres, et pour empêcher sa femme de s'abandonner à la tristesse, mais pour avoir aussi le plaisir de la voir; sa passion n'était point diminuée.

M. de Nemours, qui avait toujours eu beaucoup d'amitié pour lui, n'avait pas cessé de lui en témoigner depuis son retour de Bruxelles. Pendant la maladie de Mme de Chartres, ce prince trouva le moyen de voir plusieurs fois Mme de Clèves en faisant semblant de chercher son mari ou de le venir prendre pour le mener promener. Il le cherchait même à des heures où il savait bien qu'il n'y était pas et, sous le prétexte de l'attendre, il demeurait dans l'antichambre de Mme de Chartres où il y avait toujours plusieurs personnes de qualité. Mme de Clèves y venait souvent et, pour être affligée, elle n'en paraissait pas moins belle à M. de Nemours. Il lui faisait voir combien il prenait d'intérêt à son affliction et il lui en parlait avec un air si doux et si soumis qu'il la persuadait aisément que ce n'était pas de Mme la Dauphine dont il était amoureux.

Elle ne pouvait s'empêcher d'être troublée de sa vue, et d'avoir pourtant du plaisir à le voir; mais quand elle ne le voyait plus et qu'elle pensait que ce charme qu'elle trouvait dans sa vue était le commencement des passions, il s'en fallait peu qu'elle ne crût le haïr par la douleur que lui donnait cette pensée.

Mme de Chartres empira si considérablement que l'on commença à désespérer de sa vie; elle reçut ce que les médecins lui dirent du péril où elle était avec un courage digne de sa vertu et de sa piété. Après qu'ils furent sortis, elle fit retirer tout le monde et appeler Mme de Clèves.

— Il faut nous quitter, ma fille, lui dit-elle, en lui tendant la main; le péril où je vous laisse et le besoin que vous avez de moi augmentent le déplaisir que j'ai de vous quitter. Vous avez de l'inclination pour M. de Nemours; je ne vous demande point de me l'avouer: je ne suis plus en état de me servir de votre sincérité pour vous conduire. Il y a déjà longtemps que je me suis aperçue de cette inclination; mais je ne vous en ai pas voulu parler d'abord, de peur de vous en faire apercevoir vous-même. Vous ne la connaissez que trop présente-

ment; vous êtes sur le bord du précipice : il faut de grands
efforts et de grandes violences pour vous retenir. Songez
ce que vous devez à votre mari; songez ce que vous vous
devez à vous-même, et pensez que vous allez perdre
cette réputation que vous vous êtes acquise et que je
vous ai tant souhaitée. Ayez de la force et du courage,
ma fille, retirez-vous de la cour, obligez votre mari de
vous emmener; ne craignez point de prendre des partis
trop rudes et trop difficiles, quelque affreux qu'ils vous
paraissent d'abord : ils seront plus doux dans les suites
que les malheurs d'une galanterie. Si d'autres raisons
que celles de la vertu et de votre devoir vous pouvaient
obliger à ce que je souhaite, je vous dirais que, si quelque
chose était capable de troubler le bonheur que j'espère
en sortant de ce monde, ce serait de vous voir tomber
comme les autres femmes; mais, si ce malheur vous doit
arriver, je reçois la mort avec joie, pour n'en être pas
le témoin.

Mme de Clèves fondait en larmes sur la main de sa
mère, qu'elle tenait serrée entre les siennes, et Mme de
Chartres se sentant touchée elle-même :

— Adieu, ma fille, lui dit-elle, finissons une conversation qui nous attendrit trop l'une et l'autre, et souvenez-
vous, si vous pouvez, de tout ce que je viens de vous
dire.

Elle se tourna de l'autre côté en achevant ces paroles
et commanda à sa fille d'appeler ses femmes, sans vouloir
l'écouter, ni parler davantage. Mme de Clèves sortit
de la chambre de sa mère en l'état que l'on peut s'imaginer, et Mme de Chartres ne songea plus qu'à se préparer à la mort. Elle vécut encore deux jours, pendant
lesquels elle ne voulut plus revoir sa fille, qui était la
seule chose à quoi elle se sentait attachée.

Mme de Clèves était dans une affliction extrême; son
mari ne la quittait point et, sitôt que Mme de Chartres
fut expirée, il l'emmena à la campagne, pour l'éloigner
d'un lieu qui ne faisait qu'aigrir sa douleur. On n'en a
jamais vu de pareille; quoique la tendresse et la reconnaissance y eussent la plus grande part, le besoin qu'elle
sentait qu'elle avait de sa mère, pour se défendre contre
M. de Nemours ne laissait pas d'y en avoir beaucoup.
Elle se trouvait malheureuse d'être abandonnée à elle-
même, dans un temps où elle était si peu maîtresse de
ses sentiments et où elle eût tant souhaité d'avoir quelqu'un qui pût la plaindre et lui donner de la force. La

manière dont M. de Clèves en usait pour elle, lui faisait souhaiter plus fortement que jamais de ne manquer à rien de ce qu'elle lui devait. Elle lui témoignait aussi plus d'amitié et plus de tendresse qu'elle n'avait encore fait; elle ne voulait point qu'il la quittât, et il lui semblait qu'à force de s'attacher à lui, il la défendrait contre M. de Nemours.

Ce prince vint voir M. de Clèves à la campagne. Il fit ce qu'il put pour rendre aussi une visite à Mme de Clèves; mais elle ne le voulut point recevoir et, sentant bien qu'elle ne pouvait s'empêcher de le trouver aimable, elle avait fait une forte résolution de s'empêcher de le voir et d'en éviter toutes les occasions qui dépendraient d'elle.

M. de Clèves vint à Paris pour faire sa cour et promit à sa femme de s'en retourner le lendemain; il ne revint néanmoins que le jour d'après.

— Je vous attendis tout hier, lui dit Mme de Clèves, lorsqu'il arriva; et je vous dois faire des reproches de n'être pas venu comme vous me l'aviez promis. Vous savez que si je pouvais sentir une nouvelle affliction en l'état où je suis, ce serait la mort de Mme de Tournon, que j'ai apprise ce matin. J'en aurais été touchée quand je ne l'aurais point connue; c'est toujours une chose digne de pitié qu'une femme jeune et belle comme celle-là soit morte en deux jours; mais, de plus, c'était une des personnes du monde qui me plaisait davantage et qui paraissait avoir autant de sagesse [que] de mérite.

— Je fus très fâché de ne pas revenir hier, répondit M. de Clèves; mais j'étais si nécessaire à la consolation d'un malheureux qu'il m'était impossible de le quitter. Pour Mme de Tournon, je ne vous conseille pas d'en être affligée, si vous la regrettez comme une femme pleine de sagesse et digne de votre estime.

— Vous m'étonnez, reprit Mme de Clèves, et je vous ai ouï dire plusieurs fois qu'il n'y avait point de femme à la cour que vous estimassiez davantage.

— Il est vrai, répondit-il, mais les femmes sont incompréhensibles et, quand je les vois toutes, je me trouve si heureux de vous avoir que je ne saurais assez admirer mon bonheur.

— Vous m'estimez plus que je ne vaux, répliqua Mme de Clèves en soupirant, et il n'est pas encore temps de me trouver digne de vous. Apprenez-moi, je vous en supplie, ce qui vous a détrompé de Mme de Tournon.

— Il y a longtemps que je le suis, répliqua-t-il, et que je sais qu'elle aimait le comte de Sancerre, à qui elle donnait des espérances de l'épouser.

— Je ne saurais croire, interrompit Mme de Clèves, que Mme de Tournon, après cet éloignement si extraordinaire qu'elle a témoigné pour le mariage depuis qu'elle est veuve, et après les déclarations publiques qu'elle a faites de ne se remarier jamais, ait donné des espérances à Sancerre.

— Si elle n'en eût donné qu'à lui, répliqua M. de Clèves, il ne faudrait pas s'étonner; mais ce qu'il y a de surprenant, c'est qu'elle en donnait aussi à Estouteville dans le même temps, et je vais vous apprendre toute cette histoire.

TOME DEUXIÈME

— Vous savez l'amitié qu'il y a entre Sancerre et moi ; néanmoins il devint amoureux de Mme de Tournon, il y a environ deux ans, et me le cacha avec beaucoup de soin, aussi bien qu'à tout le reste du monde. J'étais bien éloigné de le soupçonner. Mme de Tournon paraissait encore inconsolable de la mort de son mari et vivait dans une retraite austère. La sœur de Sancerre était quasi la seule personne qu'elle vît, et c'était chez elle qu'il en était devenu amoureux.

« Un soir qu'il devait y avoir une comédie au Louvre et que l'on n'attendait plus que le roi et Mme de Valentinois pour commencer, l'on vint dire qu'elle s'était trouvée mal, et que le roi ne viendrait pas. On jugea aisément que le mal de cette duchesse était quelque démêlé avec le roi. Nous savions les jalousies qu'il avait eues du maréchal de Bris[s]ac pendant qu'il avait été à la cour ; mais il était retourné en Piémont depuis quelques jours, et nous ne pouvions imaginer le sujet de cette brouillerie.

« Comme j'en parlais avec Sancerre, M. d'Anville arriva dans la salle et me dit tout bas que le roi était dans une affliction et dans une colère qui faisaient pitié ; qu'en un raccommodement, qui s'était fait entre lui et Mme de Valentinois, il y avait quelques jours, sur des démêlés qu'ils avaient eus pour le maréchal de Bris[s]ac, le roi lui avait donné une bague et l'avait priée de la porter ; que, pendant qu'elle s'habillait pour venir à la comédie, il avait remarqué qu'elle n'avait point cette bague, et lui en avait demandé la raison ; qu'elle avait paru étonnée de ne la pas avoir, qu'elle l'avait demandée à ses femmes, lesquelles, par malheur, ou faute d'être bien instruites, avaient répondu qu'il y avait quatre ou cinq jours qu'elles ne l'avaient vue.

« Ce temps est précisément celui du départ du maréchal de Bris[s]ac, continua M. d'Anville; le roi n'a point douté qu'elle ne lui ait donné la bague en lui disant adieu. Cette pensée a réveillé si vivement toute cette jalousie, qui n'était pas encore bien éteinte, qu'il s'est emporté contre son ordinaire et lui a fait mille reproches. Il vient de rentrer chez lui très affligé; mais je ne sais s'il l'est davantage de l'opinion que Mme de Valentinois a sacrifié sa bague que de la crainte de lui avoir déplu par sa colère.

« Sitôt que M. d'Anville eut achevé de me conter cette nouvelle, je me rapprochai de Sancerre pour la lui apprendre; je la lui dis comme un secret que l'on venait de me confier et dont je lui défendais d'en parler.

« Le lendemain matin, j'allai d'assez bonne heure chez ma belle-sœur; je trouvai Mme de Tournon au chevet de son lit. Elle n'aimait pas Mme de Valentinois, et elle savait bien que ma belle-sœur n'avait pas sujet de s'en louer. Sancerre avait été chez elle au sortir de la comédie. Il lui avait appris la brouillerie du roi avec cette duchesse, et Mme de Tournon était venue la conter à ma belle-sœur, sans savoir ou sans faire réflexion que c'était moi qui l'avai[s] apprise à son amant.

« Sitôt que je m'approchai de ma belle-sœur, elle dit à Mme de Tournon que l'on pouvait me confier ce qu'elle venait de lui dire et, sans attendre la permission de Mme de Tournon, elle me conta mot pour mot tout ce que j'avais dit à Sancerre le soir précédent. Vous pouvez juger comme j'en fus étonné. Je regardai Mme de Tournon, elle me parut embarrassée. Son embarras me donna du soupçon; je n'avais dit la chose qu'à Sancerre, il m'avait quitté au sortir de la comédie sans m'en dire la raison; je me souvins de lui avoir ouï extrêmement louer Mme de Tournon. Toutes ces choses m'ouvrirent les yeux, et je n'eus pas de peine à démêler qu'il avait une galanterie avec elle et qu'il l'avait vue depuis qu'il m'avait quitté.

« Je fus si piqué de voir qu'il me cachait cette aventure que je dis plusieurs choses qui firent connaître à Mme de Tournon l'imprudence qu'elle avait faite; je la remis à son carrosse et je l'assurai, en la quittant, que j'enviais le bonheur de celui qui lui avait appris la brouillerie du roi et de Mme de Valentinois.

« Je m'en allai à l'heure même trouver Sancerre, je lui fis des reproches et je lui dis que je savais sa passion pour Mme de Tournon, sans lui dire comment je l'avais découverte. Il fut contraint de me l'avouer; je lui contai ensuite ce qui me l'avait apprise, et il m'apprit aussi le détail de leur aventure; il me dit que, quoiqu'il fût cadet de sa maison, et très éloigné de pouvoir prétendre un aussi bon parti, que néanmoins elle était résolue de [l'épouser]. L'on ne peut être plus surpris que je le fus. Je dis à Sancerre de presser la conclusion de son mariage, et qu'il n'y avait rien qu'il ne dût craindre d'une femme qui avait l'artifice de soutenir, aux yeux du public, un personnage si éloigné de la vérité. Il me répondit qu'elle avait été véritablement affligée, mais que l'inclination qu'elle avait eue pour lui avait surmonté cette affliction, et qu'elle n'avait pu laisser paraître tout d'un coup un si grand changement. Il me dit encore plusieurs autres raisons pour l'excuser, qui me firent voir à quel point il en était amoureux; il m'assura qu'il la ferait consentir que je susse la passion qu'il avait pour elle, puisque aussi bien c'était elle-même qui me l'avait apprise. Il l'y obligea en effet, quoique avec beaucoup de peine, et je fus ensuite très avant dans leur confidence.

« Je n'ai jamais vu une femme avoir une conduite si honnête et si agréable à l'égard de son amant; néanmoins j'étais toujours choqué de son affectation à paraître encore affligée. Sancerre était si amoureux et si content de la manière dont elle en usait pour lui qu'il n'osait quasi la presser de conclure leur mariage, de peur qu'elle ne crût qu'il le souhaitait plutôt par intérêt que par une véritable passion. Il lui en parla toutefois, et elle lui parut résolue à l'épouser; elle commença même à quitter cette retraite où elle vivait et à se remettre dans le monde. Elle venait chez ma belle-sœur à des heures où une partie de la Cour s'y trouvait. Sancerre n'y venait que rarement, mais ceux qui y étaient tous les soirs et qui l'y voyaient souvent, la trouvaient très aimable.

« Peu de temps après qu'elle eut commencé à quitter sa solitude, Sancerre crut voir quelque refroidissement dans la passion qu'elle avait pour lui. Il m'en parla plusieurs fois sans que je fisse aucun fondement sur ses plaintes; mais, à la fin, comme il me dit qu'au lieu d'achever leur mariage, elle semblait l'éloigner, je commençai à croire qu'il n'avait pas de tort d'avoir de l'inquiétude. Je lui répondis que, quand la passion de Mme de Tournon diminuerait après avoir duré deux ans, il ne faudrait pas s'en étonner; que quand même, sans être diminuée, elle ne serait pas assez forte pour l'obliger à l'épouser, qu'il ne devrait pas s'en plaindre; que ce mariage, à l'égard du public, lui ferait un extrême tort, non seulement parce qu'il n'était pas un assez bon parti pour elle, mais par le préjudice qu'il apporterait à sa réputation; qu'ainsi tout ce qu'il pouvait souhaiter, était qu'elle ne le trompât point et qu'elle ne lui donnât pas de fausses espérances. Je lui dis encore que, si elle n'avait pas la force de l'épouser ou qu'elle lui avouât qu'elle en aimait quelque autre, il ne fallait point qu'il s'emportât, ni qu'il se plaignît; mais qu'il devrait conserver pour elle de l'estime et de la reconnaissance.

« Je vous donne, lui dis-je, le conseil que je prendrais pour moi-même; car la sincérité me touche d'une telle sorte que je crois que si ma maîtresse, et même ma femme, m'avouait que quelqu'un lui plût, j'en serais affligé sans en être aigri. Je quitterais le personnage d'amant ou de mari, pour la conseiller et pour la plaindre. »

Ces paroles firent rougir Mme de Clèves, et elle y trouva un certain rapport avec l'état où elle était, qui la surprit et qui lui donna un trouble dont elle fut longtemps à se remettre.

« Sancerre parla à Mme de Tournon, continua M. de Clèves, il lui dit tout ce que je lui avais conseillé; mais elle le rassura avec tant de soin et parut si offensée de ses soupçons qu'elle les lui ôta entièrement. Elle remit néanmoins leur mariage après un voyage qu'il allait faire et qui devait être assez long; mais elle se conduisit si bien jusqu'à son départ et en parut si affligée que je crus, aussi bien que lui, qu'elle l'aimait véritablement. Il partit il y a environ trois mois; pendant son absence, j'ai peu vu Mme de Tournon : vous m'avez entièrement occupé et je savais seulement qu'il devait bientôt revenir.

« Avant-hier, en arrivant à Paris, j'appris qu'elle était morte; j'envoyai savoir chez lui si on n'avait point eu de ses nouvelles. On me manda qu'il était arrivé dès la veille, qui était précisément le jour de la mort de Mme de Tournon. J'allai le voir à l'heure même, me doutant bien de l'état où je le trouverais; mais son affliction passait de beaucoup ce que je m'en étais imaginé.

« Je n'ai jamais vu une douleur si profonde et si tendre; dès le moment qu'il me vit, il m'embrassa, fondant en larmes : Je ne la verrai plus, me dit-il, je ne la verrai plus, elle est morte! Je n'en étais pas digne; mais je la suivrai bientôt!

« Après cela il se tut; et puis, de temps en temps, redisant toujours : elle est morte, et je ne la verrai plus! il revenait aux cris et aux larmes, et demeurait comme un homme qui n'avait plus de raison. Il me dit qu'il n'avait pas reçu souvent de ses lettres pendant son absence, mais qu'il ne s'en était pas étonné, parce qu'il la connaissait et qu'il savait la peine qu'elle avait à hasarder de ses lettres. Il ne doutait point qu'il ne l'eût épousée à son retour; il la regardait comme la plus aimable et la plus fidèle personne qui eût jamais été; il s'en croyait tendrement aimé; il la perdait dans le moment qu'il pensait s'attacher à elle pour jamais. Toutes ces pensées le plongeaient dans une affliction violente dont il était entièrement accablé; et j'avoue que je ne pouvais m'empêcher d'en être touché.

« Je fus néanmoins contraint de le quitter pour aller chez le roi; je lui promis que je reviendrais bientôt. Je revins en effet, et je ne fus jamais si surpris que de le trouver tout différent de ce que je l'avais quitté. Il était debout dans sa chambre, avec un visage furieux, marchant et s'arrêtant comme s'il eût été hors de lui-même. Venez, venez, me dit-il, venez voir l'homme du monde le plus désespéré; je suis plus malheureux mille fois que je n'étais tantôt, et ce que je viens d'apprendre de Mme de Tournon est pire que sa mort.

« Je crus que la douleur le troublait entièrement et je ne pouvais m'imaginer qu'il y eût quelque chose de pire que la mort d'une maîtresse que l'on aime et dont on est aimé. Je lui dis que tant que son affliction avait eu des bornes, je l'avais approuvée, et que j'y étais entré; mais que je ne le plaindrais plus s'il s'abandonnait au désespoir et s'il perdait la raison.

« Je serais trop heureux de l'avoir perdue, et la vie aussi, s'écria-t-il : Mme de Tournon m'était infidèle et j'apprends son infidélité et sa trahison le lendemain que j'ai appris sa mort, dans un temps où mon âme est remplie et pénétrée de la plus vive douleur et de la plus tendre amour que l'on ait jamais senties; dans un temps où son idée est dans mon cœur comme la plus parfaite chose qui ait jamais été, et la plus parfaite à mon égard, je trouve que je me suis trompé et qu'elle ne mérite pas que je la pleure; cependant j'ai la même affliction de sa mort que si elle m'était fidèle et je sens son infidélité comme si elle n'était point morte. Si j'avais appris son changement devant sa mort, la jalousie, la colère, la rage m'auraient rempli et m'auraient endurci en quelque

sorte contre la douleur de sa perte; mais je suis dans un
état où je ne puis ni m'en consoler, ni la haïr.

« Vous pouvez juger si je fus surpris de ce que me disait
Sancerre; je lui demandai comment il avait su ce qu'il
venait de me dire. Il me conta qu'un moment après que
j'étais sorti de sa chambre, Estouteville, qui est son ami
intime, mais qui ne savait pourtant rien de son amour
pour Mme de Tournon, l'était venu voir; que, d'abord
qu'il avait été assis, il avait commencé à pleurer et qu'il
lui avait dit qu'il lui demandait pardon de lui avoir caché
ce qu'il lui allait apprendre; qu'il le priait d'avoir pitié
de lui; qu'il venait lui ouvrir son cœur et qu'il voyait
l'homme du monde le plus affligé de la mort de Mme de
Tournon.

« Ce nom, me dit Sancerre, m'a tellement surpris que,
quoique mon premier mouvement ait été de lui dire que
j'en étais plus affligé que lui, je n'ai pas eu néanmoins la
force de parler. Il a continué, et m'a dit qu'il était amoureux d'elle depuis six mois; qu'il avait toujours voulu me
le dire, mais qu'elle le lui avait défendu expressément et
avec tant d'autorité qu'il n'avait osé lui désobéir; qu'il
lui avait plu quasi dans le même temps qu'il l'avait
aimée; qu'ils avaient caché leur passion à tout le monde;
qu'il n'avait jamais été chez elle publiquement; qu'il
avait eu le plaisir de la consoler de la mort de son mari;
et qu'enfin il l'allait épouser dans le temps qu'elle était
morte; mais que ce mariage, qui était un effet de passion,
aurait paru un effet de devoir et d'obéissance; qu'elle
avait gagné son père pour se faire commander de l'épouser, afin qu'il n'y eût pas un trop grand changement dans
sa conduite, qui avait été si éloignée de se remarier.

« Tant qu'Estouteville m'a parlé, me dit Sancerre, j'ai
ajouté foi à ses paroles, parce que j'y ai trouvé de la
vraisemblance et que le temps où il m'a dit qu'il avait
commencé à aimer Mme de Tournon est précisément
celui où elle m'a paru changée; mais un moment après,
je l'ai cru un menteur ou du moins un visionnaire. J'ai
été prêt à le lui dire, j'ai passé ensuite à vouloir m'éclaircir, je l'ai questionné, je lui ai fait paraître des doutes;
enfin j'ai tant fait pour m'assurer de mon malheur qu'il
m'a demandé si je connaissais l'écriture de Mme de
Tournon. Il a mis sur mon lit quatre de ses lettres et son
portrait; mon frère est entré dans ce moment. Estouteville avait le visage si plein de larmes qu'il a été contraint
de sortir pour ne se pas laisser voir; il m'a dit qu'il

reviendrait ce soir requérir ce qu'il me laissait; et moi
je chassai mon frère, sur le prétexte de me trouver mal,
par l'impatience de voir ces lettres que l'on m'avait
laissées, et espérant d'y trouver quelque chose qui ne me
persuaderait pas tout ce qu'Estouteville venait de me
dire. Mais hélas! que n'y ai-je point trouvé? Quelle tendresse! quels serments! quelles assurances de l'épouser!
quelles lettres! Jamais elle ne m'en a écrit de semblables.
Ainsi, ajouta-t-il, j'éprouve à la fois la douleur de la
mort et celle de l'infidélité; ce sont deux maux que l'on
a souvent comparés, mais qui n'ont jamais été sentis en
même temps par la même personne. J'avoue, à ma honte,
que je sens encore plus sa perte que son changement;
je ne puis la trouver assez coupable pour consentir à sa
mort. Si elle vivait, j'aurais le plaisir de lui faire des
reproches et de me venger d'elle en lui faisant connaître
son injustice; mais je ne la verrai plus, reprenait-il, je ne
la verrai plus; ce mal est le plus grand de tous les maux.
Je souhaiterais de lui rendre la vie aux dépens de la
mienne. Quel souhait! si elle revenait elle vivrait pour
Estouteville. Que j'étais heureux hier! s'écriait-il, que
j'étais heureux! j'étais l'homme du monde le plus
affligé; mais mon affliction était raisonnable, et je trouvais quelque douceur à penser que je ne devais jamais
me consoler. Aujourd'hui, tous mes sentiments sont
injustes. Je paye à une passion feinte qu'elle a eue pour
moi, le même tribut de douleur que je croyais devoir à
une passion véritable. Je ne puis ni haïr, ni aimer sa
mémoire; je ne puis me consoler ni m'affliger. Du moins,
me dit-il, en se retournant tout d'un coup vers moi,
faites, je vous en conjure, que je ne voie jamais Estouteville; son nom seul me fait horreur. Je sais bien que je
n'ai nul sujet de m'en plaindre; c'est ma faute de lui
avoir caché que j'aimais Mme de Tournon; s'il l'eût su
il ne s'y serait peut-être pas attaché, elle ne m'aurait pas
été infidèle; il est venu me chercher pour me confier sa
douleur; il me fait pitié. Eh! c'est avec raison, s'écriait-
il; il aimait Mme de Tournon, il en était aimé et il ne la
verra jamais; je sens bien néanmoins que je ne saurais
m'empêcher de le haïr. Et encore une fois, je vous conjure
de faire en sorte que je ne le voie point.

   « Sancerre se remit ensuite à pleurer, à regretter Mme de
Tournon, à lui parler et à lui dire les choses du monde
les plus tendres; il repassa ensuite à la haine, aux plaintes, aux reproches et aux imprécations contre elle. Comme

je le vis dans un état si violent, je connus bien qu'il me
fallait quelque secours pour m'aider à calmer son esprit.
J'envoyai quérir son frère que je venais de quitter chez
le roi; j'allai lui parler dans l'antichambre avant qu'il
entrât et je lui contai l'état où était Sancerre. Nous don-
nâmes des ordres pour empêcher qu'il ne vît Estouteville et nous employâmes une partie de la nuit à tâcher de
le rendre capable de raison. Ce matin je l'ai encore trouvé
plus affligé; son frère est demeuré auprès de lui, et je
suis revenu auprès de vous.

— L'on ne peut être plus surprise que je le suis, dit
alors Mme de Clèves, et je croyais Mme de Tournon
incapable d'amour et de tromperie.

— L'adresse et la dissimulation, reprit M. de Clèves,
ne peuvent aller plus loin qu'elle les a portées. Remar-
quez que, quand Sancerre crut qu'elle était changée
pour lui, elle l'était véritablement et qu'elle commençait
à aimer Estouteville. Elle disait à ce dernier qu'il la
consolait de la mort de son mari et que c'était lui qui
était cause qu'elle quittait cette grande retraite; et il
paraissait à Sancerre que c'était parce que nous avions
résolu qu'elle ne témoignerait plus d'être si affligée.
Elle faisait valoir à Estouteville de cacher leur intelligence et de paraître obligée à l'épouser par le commandement de son père, comme un effet du soin qu'elle
avait de sa réputation; et c'était pour abandonner Sancerre sans qu'il eût sujet de s'en plaindre. Il faut que je
m'en retourne, continua M. de Clèves, pour voir ce malheureux et je crois qu'il faut que vous reveniez aussi à
Paris. Il est temps que vous voy[i]ez le monde, et que
vous receviez ce nombre infini de visites dont aussi bien
vous ne sauriez vous dispenser.

Mme de Clèves consentit à son retour et elle revint
le lendemain. Elle se trouva plus tranquille sur M. de
Nemours qu'elle n'avait été; tout ce que lui avait dit
Mme de Chartres en mourant, et la douleur de sa mort,
avaient fait une suspension à ses sentiments, qui lui faisait croire qu'ils étaient entièrement effacés.

Dès le même soir qu'elle fut arrivée, Mme la Dauphine la vint voir, et après lui avoir témoigné la part
qu'elle avait prise à son affliction, elle lui dit que, pour
la détourner de ces tristes pensées, elle voulait l'instruire
de tout ce qui s'était passé à la cour en son absence; elle
lui conta ensuite plusieurs choses particulières.

— Mais ce que j'ai le plus d'envie de vous apprendre,

ajouta-t-elle, c'est qu'il est certain que M. de Nemours est passionnément amoureux et que ses amis les plus intimes, non seulement ne sont point dans sa confidence, mais qu'ils ne peuvent deviner qui est la personne qu'il aime. Cependant cet amour est assez fort pour lui faire négliger ou abandonner, pour mieux dire, les espérances d'une couronne.

Mme la Dauphine conta ensuite tout ce qui s'était passé sur l'Angleterre.

— J'ai appris ce que je viens de vous dire, continuat-elle, de M. d'Anville; et il m'a dit ce matin que le roi envoya quérir, hier au soir, M. de Nemours, sur des lettres de Lignerolles, qui demande à revenir, et qui écrit au roi qu'il ne peut plus soutenir auprès de la reine d'Angleterre les retardements de M. de Nemours; qu'elle commence à s'en offenser, et qu'encore qu'elle n'eût point donné de parole positive, elle en avait assez dit pour faire hasarder un voyage. Le roi lut cette lettre à M. de Nemours qui, au lieu de parler sérieusement, comme il avait fait dans les commencements, ne fit que rire, que badiner et se moquer des espérances de Lignerolles. Il dit que toute l'Europe condamnerait son imprudence s'il hasardait d'aller en Angleterre comme un prétendu mari de la reine sans être assuré du succès. — Il me semble aussi, ajouta-t-il, que je prendrais mal mon temps de faire ce voyage présentement que le roi d'Espagne fait de si grandes instances pour épouser cette reine. Ce ne serait peut-être pas un rival bien redoutable dans une galanterie; mais je pense que dans un mariage Votre Majesté ne me conseillerait pas de lui disputer quelque chose. — Je vous le conseillerais en cette occasion, reprit le roi; mais vous n'aurez rien à lui disputer; je sais qu'il a d'autres pensées; et, quand il n'en aurait pas, la reine Marie s'est trop mal trouvée du joug de l'Espagne pour croire que sa sœur le veuille reprendre et qu'elle se laisse éblouir à l'éclat de tant de couronnes jointes ensemble. — Si elle ne s'en laisse pas éblouir, repartit M. de Nemours, il y a apparence qu'elle voudra se rendre heureuse par l'amour. Elle a aimé le milord Courtenay, il y a déjà quelques années; il était aussi aimé de la reine Marie, qui l'aurait épousé, du consentement de toute l'Angleterre, sans qu'elle connût que la jeunesse et la beauté de sa sœur Elisabeth le touchaient davantage que l'espérance de régner. Votre Majesté sait que les violentes jalousies qu'elle en eut la portèrent à les

mettre l'un et l'autre en prison, à exiler ensuite le milord
Courtenay, et la déterminèrent enfin à épouser le roi
d'Espagne. Je crois qu'Elisabeth, qui est présentement
sur le trône, rappellera bientôt ce milord, et qu'elle
choisira un homme qu'elle a aimé, qui est fort aimable,
qui a tant souffert pour elle, plutôt qu'un autre qu'elle
n'a jamais vu.

— Je serais de votre avis, repartit le roi, si Courtenay vivait encore; mais j'ai su, depuis quelques jours,
qu'il est mort à Padoue, où il était relégué. Je vois bien,
ajouta-t-il en quittant M. de Nemours, qu'il faudrait
faire votre mariage comme on ferait celui de M. le
Dauphin, et envoyer épouser la reine d'Angleterre par
des ambassadeurs.

M. d'Anville et M. le vidame, qui étaient chez le roi
avec M. de Nemours, sont persuadés que c'est cette même
passion dont il est occupé, qui le détourne d'un si grand
dessein. Le vidame, qui le voit de plus près que personne,
a dit à Mme de Martigues que ce prince est tellement
changé qu'il ne le reconnaît plus; et ce qui l'étonne davantage, c'est qu'il ne lui voit aucun commerce, ni aucunes
heures particulières où il se dérobe, en sorte qu'il croit
qu'il n'a point d'intelligence avec la personne qu'il aime;
et c'est ce qui fait méconnaître M. de Nemours de lui
voir aimer une femme qui ne répond point à son amour.

Quel poison, pour Mme de Clèves, que le discours de
Mme la Dauphine! Le moyen de ne se pas reconnaître
pour cette personne dont on ne savait point le nom et le
moyen de n'être pas pénétrée de reconnaissance et de
tendresse, en apprenant, par une voie qui ne lui pouvait
être suspecte, que ce prince, qui touchait déjà son cœur,
cachait sa passion à tout le monde et négligeait pour
l'amour d'elle les espérances d'une couronne ? Aussi ne
peut-on représenter ce qu'elle sentit, et le trouble qui
s'éleva dans son âme. Si Mme la Dauphine l'eût regardée
avec attention, elle eût aisément remarqué que les choses
qu'elle venait de dire ne lui étaient pas indifférentes;
mais, comme elle n'avait aucun soupçon de la vérité, elle
continua de parler, sans y faire de réflexion.

— M. d'Anville, ajouta-t-elle, qui, comme je vous
viens de dire, m'a appris tout ce détail, m'en croit mieux
instruite que lui; et il a une si grande opinion de mes
charmes qu'il est persuadé que je suis la seule personne
qui puisse faire de si grands changements en M. de
Nemours.

Ces dernières paroles de Mme la Dauphine donnèrent une autre sorte de trouble à Mme de Clèves, que celui qu'elle avait eu quelques moments auparavant.

— Je serais aisément de l'avis de M. d'Anville, répondit-elle; et il y a beaucoup d'apparence, madame, qu'il ne faut pas moins qu'une princesse telle que vous pour faire mépriser la reine d'Angleterre.

— Je vous l'avouerais si je le savais, repartit Mme la Dauphine, et je le saurais s'il était véritable. Ces sortes de passions n'échappent point à la vue de celles qui les causent; elles s'en aperçoivent les premières. M. de Nemours ne m'a jamais témoigné que de légères complaisances, mais il y a néanmoins une si grande différence de la manière dont il a vécu avec moi à celle dont il y vit présentement que je puis vous répondre que je ne suis pas la cause de l'indifférence qu'il a pour la couronne d'Angleterre.

Je m'oublie avec vous, ajouta Mme la Dauphine, et je ne me souviens pas qu'il faut que j'aille voir Madame. Vous savez que la paix est quasi conclue; mais vous ne savez pas que le roi d'Espagne n'a voulu passer aucun article qu'à condition d'épouser cette princesse, au lieu du prince don Carlos, son fils. Le roi a eu beaucoup de peine à s'y résoudre; enfin il y a consenti, et il est allé tantôt annoncer cette nouvelle à Madame. Je crois qu'elle sera inconsolable; ce n'est pas une chose qui puisse plaire d'épouser un homme de l'âge et de l'humeur du roi d'Espagne, surtout à elle qui a toute la joie que donne la première jeunesse jointe à la beauté et qui s'attendait d'épouser un jeune prince pour qui elle a de l'inclination sans l'avoir vu. Je ne sais si le roi trouvera en elle toute l'obéissance qu'il désire; il m'a chargée de la voir parce qu'il sait qu'elle m'aime et qu'il croit que j'aurai quelque pouvoir sur son esprit. Je ferai ensuite une autre visite bien différente : j'irai me réjouir avec Madame, sœur du roi. Tout est arrêté pour son mariage avec M. de Savoie; et il sera ici dans peu de temps. Jamais personne de l'âge de cette princesse n'a eu une joie si entière de se marier. La cour va être plus belle et plus grosse qu'on ne l'a jamais vue; et, malgré votre affliction, il faut que vous veniez nous aider à faire voir aux étrangers que nous n'avons pas de médiocres beautés.

Après ces paroles, Mme la Dauphine quitta Mme de Clèves, et le lendemain, le mariage de Madame fut su de tout le monde. Les jours suivants, le roi et les reines

allèrent voir Mme de Clèves. M. de Nemours, qui avait
attendu son retour avec une extrême impatience et qui
souhaitait ardemment de lui pouvoir parler sans témoins,
attendit pour aller chez elle l'heure que tout le monde
en sortirait et qu'apparemment il ne reviendrait plus personne. Il réussit dans son dessein et il arriva comme les
dernières visites en sortaient.

Cette princesse était sur son lit, il faisait chaud, et la
vue de M. de Nemours acheva de lui donner une rougeur qui ne diminuait pas sa beauté. Il s'assit vis-à-vis
d'elle, avec cette crainte et cette timidité que donnent les
véritables passions. Il demeura quelque temps sans pouvoir parler. Mme de Clèves n'était pas moins interdite,
de sorte qu'ils gardèrent assez longtemps le silence.
Enfin M. de Nemours prit la parole et lui fit des compliments sur son affliction ; Mme de Clèves, étant bien aise
de continuer la conversation sur ce sujet, parla assez
longtemps de la perte qu'elle avait faite ; et enfin, elle dit
que, quand le temps aurait diminué la violence de sa
douleur, il lui en demeurerait toujours une si forte
impression que son humeur en serait changée.

— Les grandes afflictions et les passions violentes,
repartit M. de Nemours, font de grands changements
dans l'esprit ; et, pour moi, je ne me reconnais pas depuis
que je suis revenu de Flandre. Beaucoup de gens ont
remarqué ce changement, et même Mme la Dauphine
m'en parlait encore hier.

— Il est vrai, repartit Mme de Clèves, qu'elle l'a
remarqué, et je crois lui en avoir ouï dire quelque
chose.

— Je ne suis pas fâché, madame, répliqua M. de
Nemours, qu'elle s'en soit aperçue ; mais je voudrais
qu'elle ne fût pas seule à s'en apercevoir. Il y a des personnes à qui on n'ose donner d'autres marques de la passion qu'on a pour elles que par les choses qui ne les
regardent point ; et, n'osant leur faire paraître qu'on les
aime, on voudrait du moins qu'elles vissent que l'on
ne veut être aimé de personne. L'on voudrait qu'elles
sussent qu'il n'y a point de beauté, dans quelque rang
qu'elle pût être, que l'on ne regardât avec indifférence,
et qu'il n'y a point de couronne que l'on voulût acheter
au prix de ne les voir jamais. Les femmes jugent d'ordinaire de la passion qu'on a pour elles, continua-t-il, par
le soin qu'on prend de leur plaire et de les chercher ;
mais ce n'est pas une chose difficile pour peu qu'elles

soient aimables; ce qui est difficile, c'est de ne s'abandonner pas au plaisir de les suivre; c'est de les éviter, par la
peur de laisser paraître au public, et quasi à elles-mêmes,
les sentiments que l'on a pour elles. Et ce qui marque
encore mieux un véritable attachement, c'est de devenir
entièrement opposé à ce que l'on était, et de n'avoir plus
d'ambition, ni de plaisir, après avoir été toute sa vie
occupé de l'un et de l'autre.

Mme de Clèves entendait aisément la part qu'elle
avait à ces paroles. Il lui semblait qu'elle devait y répondre
et ne les pas souffrir. Il lui semblait aussi qu'elle ne
devait pas les entendre, ni témoigner qu'elle les prît pour
elle. Elle croyait devoir parler et croyait ne devoir rien
dire. Le discours de M. de Nemours lui plaisait et l'offen-
sait quasi également; elle y voyait la confirmation de tout
ce que lui avait fait penser Mme la Dauphine; elle y
trouvait quelque chose de galant et de respectueux, mais
aussi quelque chose de hardi et de trop intelligible.
L'inclination qu'elle avait pour ce prince lui donnait un
trouble dont elle n'était pas maîtresse. Les paroles les
plus obscures d'un homme qui plaît donnent plus d'agitation que des déclarations ouvertes d'un homme qui ne
plaît pas. Elle demeurait donc sans répondre, et M. de
Nemours se fût aperçu de son silence, dont il n'aurait
peut-être pas tiré de mauvais présages, si l'arrivée de
M. de Clèves n'eût fini la conversation et sa visite.

Ce prince venait conter à sa femme des nouvelles de
Sancerre; mais elle n'avait pas une grande curiosité pour
la suite de cette aventure. Elle était si occupée de ce qui
se venait de passer qu'à peine pouvait-elle cacher la dis-
traction de son esprit. Quand elle fut en liberté de rêver,
elle connut bien qu'elle s'était trompée lorsqu'elle avait cru
n'avoir plus que de l'indifférence pour M. de Nemours.
Ce qu'il lui avait dit avait fait toute l'impression qu'il
pouvait souhaiter et l'avait entièrement persuadée de sa
passion. Les actions de ce prince s'accordaient trop bien
avec ses paroles pour laisser quelque doute à cette princesse. Elle ne se flatta plus de l'espérance de ne le pas
aimer; elle songea seulement à ne lui en donner jamais
aucune marque. C'était une entreprise difficile, dont elle
connaissait déjà les peines; elle savait que le seul moyen
d'y réussir était d'éviter la présence de ce prince; et,
comme son deuil lui donnait lieu d'être plus retirée que
de coutume, elle se servit de ce prétexte pour n'aller plus
dans les lieux où il la pouvait voir. Elle était dans une

tristesse profonde; la mort de sa mère en paraissait la
cause, et l'on n'en cherchait point d'autre.

M. de Nemours était désespéré de ne la voir presque
plus; et, sachant qu'il ne la trouverait dans aucune assemblée et dans aucun des divertissements où était toute la
cour, il ne pouvait se résoudre d'y paraître; il feignit une
grande passion pour la chasse et il en faisait des parties
les mêmes jours qu'il y avait des assemblées chez les
reines. Une légère maladie lui servit longtemps de prétexte pour demeurer chez lui et pour éviter d'aller dans
tous les lieux où il savait bien que Mme de Clèves ne
serait pas.

M. de Clèves fut malade à peu près dans le même
temps. Mme de Clèves ne sortit point de sa chambre
pendant son mal; mais, quand il se porta mieux, qu'il vit
du monde, et entre autres M. de Nemours qui, sur le
prétexte d'être encore faible, y passait la plus grande
partie du jour, elle trouva qu'elle n'y pouvait plus demeurer; elle n'eut pas néanmoins la force d'en sortir les premières fois qu'il y vint. Il y avait trop longtemps qu'elle
ne l'avait vu, pour se résoudre à ne le voir pas. Ce prince
trouva le moyen de lui faire entendre par des discours
qui ne semblaient que généraux, mais qu'elle entendait
néanmoins parce qu'ils avaient du rapport à ce qu'il lui
avait dit chez elle, qu'il allait à la chasse pour rêver et
qu'il n'allait point aux assemblées parce qu'elle n'y était
pas.

Elle exécuta enfin la résolution qu'elle avait prise de
sortir de chez son mari lorsqu'il y serait; ce fut toutefois
en se faisant une extrême violence. Ce prince vit bien
qu'elle le fuyait, et en fut sensiblement touché.

M. de Clèves ne prit pas garde d'abord à la conduite de
sa femme; mais enfin il s'aperçut qu'elle ne voulait pas
être dans sa chambre lorsqu'il y avait du monde. Il lui
en parla, et elle lui répondit qu'elle ne croyait pas que la
bienséance voulût qu'elle fût tous les soirs avec ce qu'il
y avait de plus jeune à la cour; qu'elle le suppliait de
trouver bon qu'elle fît une vie plus retirée qu'elle n'avait
accoutumé; que la vertu et la présence de sa mère auto-
risaient beaucoup de choses qu'une femme de son âge
ne pouvait soutenir.

M. de Clèves, qui avait naturellement beaucoup de
douceur et de complaisance pour sa femme, n'en eut pas
en cette occasion, et il lui dit qu'il ne voulait pas absolument qu'elle changeât de conduite. Elle fut prête de lui

dire que le bruit était dans le monde que M. de Nemours était amoureux d'elle; mais elle n'eut pas la force de le nommer. Elle sentit aussi de la honte de se vouloir servir d'une fausse raison et de déguiser la vérité à un homme qui avait si bonne opinion d'elle.

Quelques jours après, le roi était chez la reine à l'heure du cercle; l'on parla des horoscopes et des prédictions. Les opinions étaient partagées sur la croyance que l'on y devait donner. La reine y ajoutait beaucoup de foi; elle soutint qu'après tant de choses qui avaient été prédites, et que l'on avait vues arriver, on ne pouvait douter qu'il n'y eût quelque certitude dans cette science. D'autres soutenaient que, parmi ce nombre infini de prédictions, le peu qui se trouvaient véritables faisaient bien voir que ce n'était qu'un effet du hasard.

— J'ai eu autrefois beaucoup de curiosité pour l'avenir, dit le roi; mais on m'a dit tant de choses fausses et si peu vraisemblables que je suis demeuré convaincu que l'on ne peut rien savoir de véritable. Il y a quelques années qu'il vint ici un homme d'une grande réputation dans l'astrologie. Tout le monde l'alla voir; j'y allai comme les autres, mais sans lui dire qui j'étais, et je menai MM. de Guise et d'Escars; je les fis passer les premiers. L'astrologue néanmoins s'adressa d'abord à moi, comme s'il m'eût jugé le maître des autres. Peut-être qu'il me connaissait; cependant il me dit une chose qui ne me convenait pas s'il m'eût connu. Il me prédit que je serais tué en duel. Il dit ensuite à M. de Guise qu'il serait tué par-derrière et à d'Escars qu'il aurait la tête cassée d'un coup de pied de cheval. M. de Guise s'offensa quasi de cette prédiction, comme si on l'eût accusé de devoir fuir. D'Escars ne fut guère satisfait de trouver qu'il devait finir par un accident si malheureux. Enfin nous sortîmes tous très mal contents de l'astrologue. Je ne sais ce qui arrivera à M. de Guise et à d'Escars; mais il n'y a guère d'apparence que je sois tué en duel. Nous venons de faire la paix, le roi d'Espagne et moi; et, quand nous ne l'aurions pas faite, je doute que nous nous battions, et que je le fisse appeler comme le roi mon père fit appeler Charles Quint.

Après le malheur que le roi conta qu'on lui avait prédit, ceux qui avaient soutenu l'astrologie en abandonnèrent le parti et tombèrent d'accord qu'il n'y fallait donner aucune croyance.

— Pour moi, dit tout haut M. de Nemours, je suis

l'homme du monde qui doit le moins y en avoir ; et, se tournant vers Mme de Clèves, auprès de qui il était : « On m'a prédit, lui dit-il tout bas, que je serais heureux par les bontés de la personne du monde pour qui j'aurais la plus violente et la plus respectueuse passion. Vous pouvez juger, madame, si je dois croire aux prédictions. »

Mme la Dauphine qui crut, par ce que M. de Nemours avait dit tout haut, que ce qu'il disait tout bas était quelque fausse prédiction qu'on lui avait faite, demanda à ce prince ce qu'il disait à Mme de Clèves. S'il eût eu moins de présence d'esprit, il eût été surpris de cette demande. Mais prenant la parole sans hésiter.

— Je lui disais, madame, répondit-il, que l'on m'a prédit que je serais élevé à une si haute fortune que je n'oserais même y prétendre.

— Si l'on ne vous a fait que cette prédiction, repartit Mme la Dauphine en souriant, et pensant à l'affaire d'Angleterre, je ne vous conseille pas de décrier l'astrologie, et vous pourriez trouver des raisons pour la soutenir.

Mme de Clèves comprit bien ce que voulait dire Mme la Dauphine ; mais elle entendait bien aussi que la fortune dont M. de Nemours voulait parler, n'était pas d'être roi d'Angleterre.

Comme il y avait déjà assez longtemps de la mort de sa mère, il fallait qu'elle commençât à paraître dans le monde et à faire sa cour comme elle avait accoutumé. Elle voyait M. de Nemours chez Mme la Dauphine ; elle le voyait chez M. de Clèves, où il venait souvent avec d'autres personnes de qualité de son âge, afin de ne se pas faire remarquer ; mais elle ne le voyait plus qu'avec un trouble dont il s'apercevait aisément.

Quelque application qu'elle eût à éviter ses regards et à lui parler moins qu'à un autre, il lui échappait de certaines choses qui partaient d'un premier mouvement, qui faisaient juger à ce prince qu'il ne lui était pas indifférent. Un homme moins pénétrant que lui ne s'en fût peut-être pas aperçu ; mais il avait déjà été aimé tant de fois qu'il était difficile qu'il ne connût pas quand on l'aimait. Il voyait bien que le chevalier de Guise était son rival, et ce prince connaissait que M. de Nemours était le sien. Il était le seul homme de la cour qui eût démêlé cette vérité ; son intérêt l'avait rendu plus clairvoyant que les autres ; la connaissance qu'il [s] avaient de leurs sentiments leur donnait une aigreur qui paraissait en toutes choses sans éclater néanmoins par aucun démêlé ;

mais ils étaient opposés en tout. Ils étaient toujours de différent parti dans les courses de bague, dans les combats, à la barrière et dans tous les divertissements où le roi s'occupait; et leur émulation était si grande qu'elle ne se pouvait cacher.

L'affaire d'Angleterre revenait souvent dans l'esprit de Mme de Clèves : il lui semblait que M. de Nemours ne résisterait point aux conseils du roi et aux instances de Lignerolles. Elle voyait avec peine que ce dernier n'était point encore de retour, et elle l'attendait avec impatience. Si elle eût suivi ses mouvements, elle se serait informée avec soin de l'état de cette affaire; mais le même sentiment qui lui donnait de la curiosité, l'obligeait à la cacher et elle s'enquérait seulement de la beauté, de l'esprit et de l'humeur de la reine Elisabeth. On apporta un de ses portraits chez le roi, qu'elle trouva plus beau qu'elle n'avait envie de le trouver; et elle ne put s'empêcher de dire qu'il était flatté.

— Je ne le crois pas, reprit Mme la Dauphine qui était présente; cette princesse a la réputation d'être belle et d'avoir un esprit fort au-dessus du commun, et je sais bien qu'on me l'a proposée toute ma vie pour exemple. Elle doit être aimable, si elle ressemble à Anne de Boulen, sa mère. Jamais femme n'a eu tant de charmes et tant d'agrément dans sa personne et dans son humeur. J'ai ouï dire que son visage avait quelque chose de vif et de singulier, et qu'elle n'avait aucune ressemblance avec les autres beautés anglaises.

— Il me semble aussi, reprit Mme de Clèves, que l'on dit qu'elle était née en France.

— Ceux qui l'ont cru se sont trompés, répondit Mme la Dauphine, et je vais vous conter son histoire en peu de mots.

« Elle était d'une bonne maison d'Angleterre. Henri VIII avait été amoureux de sa sœur et de sa mère, et l'on a même soupçonné qu'elle était sa fille. Elle vint ici avec la sœur de Henri VII, qui épousa le roi Louis XII. Cette princesse, qui était jeune et galante, eut beaucoup de peine à quitter la cour de France après la mort de son mari; mais Anne de Boulen, qui avait les mêmes inclinations que sa maîtresse, ne se put résoudre à en partir. Le feu roi en était amoureux et elle demeura fille d'honneur de la reine Claude. Cette reine mourut, et Mme Marguerite, sœur du roi, duchesse d'Alençon, et depuis reine de Navarre, dont vous avez vu les contes, la prit auprès d'elle, et elle prit auprès de cette princesse les teintures de la religion nouvelle. Elle retourna ensuite en Angleterre et y charma tout le monde; elle avait les manières de France qui plaisent à toutes les nations; elle chantait bien, elle dansait admirablement; on la mit fille de la reine Catherine d'Aragon, et le roi Henri VIII en devint éperdument amoureux.

« Le cardinal de Wolsey, son favori et son premier ministre, avait prétendu au pontificat et, mal satisfait de l'Empereur, qui ne l'avait pas soutenu dans cette prétention, il résolut de s'en venger, et d'unir le roi, son maître, à la France. Il mit dans l'esprit de Henri VIII que son mariage avec la tante de l'Empereur était nul et lui proposa d'épouser la duchesse d'Alençon, dont le mari venait de mourir. Anne de Boulen, qui avait de l'ambition, regarda ce divorce comme un chemin qui la pouvait conduire au trône. Elle commença à donner au roi d'Angleterre des impressions de la religion de Luther et engagea le feu roi à favoriser à Rome le divorce de Henri, sur l'espérance du mariage de Mme d'Alençon. Le cardinal de Wolsey se fit députer en France sur d'autres prétextes pour traiter cette affaire; mais son maître ne put se résoudre à souffrir qu'on en fît seulement la proposition et il lui envoya un ordre, à Calais, de ne point parler de ce mariage.

« Au retour de France, le cardinal de Wolsey fut reçu avec des honneurs pareils à ceux que l'on rendait au roi même; jamais favori n'a porté l'orgueil et la vanité à un si haut point. Il ménagea une entrevue entre les deux rois, qui se fit à Boulogne. François Ier donna la main à Henri VIII, qui ne la voulait point recevoir. Ils se traitèrent tour à tour avec une magnificence extraordinaire, et se donnèrent des habits pareils à ceux qu'ils avaient fait faire pour eux-mêmes. Je me souviens d'avoir ouï dire que ceux que le feu roi envoya au roi d'Angleterre étaient de satin cramoisi, chamarré en triangle, avec des perles et des diamants, et la robe de velours blanc brodé d'or. Après avoir été quelques jours à Boulogne, ils allèrent encore à Calais. Anne de Boulen était logée chez Henri VIII avec le train d'une reine, et François Ier lui fit les mêmes présents et lui rendit les mêmes honneurs que si elle l'eût été. Enfin, après une passion de neuf années, Henri l'épousa sans attendre la dissolution de son premier mariage, qu'il demandait à Rome depuis longtemps. Le pape prononça les fulminations contre lui avec précipitation et Henri en fut tellement irrité qu'il se déclara chef de la religion et entraîna toute l'Angleterre dans le malheureux changement où vous la voyez.

« Anne de Boulen ne jouit pas longtemps de sa grandeur ; car, lorsqu'elle la croyait plus assurée par la mort de Catherine d'Aragon, un jour qu'elle assistait avec toute la cour à des courses de bague que faisait le vicomte de Rochefort, son frère, le roi en fut frappé d'une telle jalousie, qu'il quitta brusquement le spectacle, s'en vint à Londres et laissa ordre d'arrêter la reine, le vicomte de Rochefort et plusieurs autres, qu'il croyait amants ou confidents de cette princesse. Quoique cette jalousie parût née dans ce moment, il y avait déjà quelque temps qu'elle lui avait été inspirée par la vicomtesse de Rochefort qui, ne pouvant souffrir la liaison étroite de son mari avec la reine, la fit regarder au roi comme une amitié criminelle ; en sorte que ce prince qui, d'ailleurs, était amoureux de Jeanne Seymour, ne songea qu'à se défaire d'Anne de Boulen. En moins de trois semaines, il fit faire le procès à cette reine et à son frère, leur fit couper la tête et épousa Jeanne Seymour. Il eut ensuite plusieurs femmes, qu'il répudia ou qu'il fit mourir, et entre autres Catherine Howard, dont la comtesse de Rochefort était confidente, et qui eut la tête coupée avec elle. Elle fut ainsi punie des crimes qu'elle avait supposés à Anne de Boulen, et Henri VIII mourut, étant devenu d'une grosseur prodigieuse. »

Toutes les dames, qui étaient présentes au récit de Mme la Dauphine, la remercièrent de les avoir si bien instruites de la cour d'Angleterre, et entre autres Mme de Clèves, qui ne put s'empêcher de lui faire encore plusieurs questions sur la reine Elisabeth.

La reine dauphine faisait faire des portraits en petit de toutes les belles personnes de la cour pour les envoyer à la reine sa mère. Le jour qu'on achevait celui de Mme de Clèves, Mme la Dauphine vint passer l'après-dînée chez elle. M. de Nemours ne manqua pas de s'y trouver ; il ne laissait échapper aucune occasion de voir Mme de Clèves sans laisser paraître néanmoins qu'il les cherchât. Elle était si belle, ce jour-là, qu'il en serait devenu amoureux quand il ne l'aurait pas été. Il n'osait pourtant avoir les yeux attachés sur elle pendant qu'on la peignait, et il craignait de laisser trop voir le plaisir qu'il avait à l[a] regarder.

Mme la Dauphine demanda à M. de Clèves un petit

portrait qu'il avait de sa femme, pour le voir auprès de celui que l'on achevait; tout le monde dit son sentiment de l'un et de l'autre; et Mme de Clèves ordonna au peintre de raccommoder quelque chose à la coiffure de celui que l'on venait d'apporter. Le peintre, pour lui obéir, ôta le portrait de la boîte où il était et, après y avoir travaillé, il le remit sur la table.

Il y avait longtemps que M. de Nemours souhaitait d'avoir le portrait de Mme de Clèves. Lorsqu'il vit celui qui était à M. de Clèves, il ne put résister à l'envie de le dérober à un mari qu'il croyait tendrement aimé; et il pensa que, parmi tant de personnes qui étaient dans ce même lieu, il ne serait pas soupçonné plutôt qu'un autre.

Mme la Dauphine était assise sur le lit et parlait bas à Mme de Clèves, qui était debout devant elle. Mme de Clèves aperçut par un des rideaux, qui n'était qu'à demi fermé, M. de Nemours, le dos contre la table, qui était au pied du lit, et elle vit que, sans tourner la tête, il prenait adroitement quelque chose sur cette table. Elle n'eut pas de peine à deviner que c'était son portrait, et elle en fut si troublée que Mme la Dauphine remarqua qu'elle ne l'écoutait pas et lui demanda tout haut ce qu'elle regardait. M. de Nemours se tourna à ces paroles; il rencontra les yeux de Mme de Clèves, qui étaient encore attachés sur lui, et il pensa qu'il n'était pas impossible qu'elle eût vu ce qu'il venait de faire.

Mme de Clèves n'était pas peu embarrassée. La raison voulait qu'elle demandât son portrait; mais, en le demandant publiquement, c'était apprendre à tout le monde les sentiments que ce prince avait pour elle, et, en le lui demandant en particulier, c'était quasi l'engager à lui parler de sa passion. Enfin elle jugea qu'il valait mieux le lui laisser, et elle fut bien aise de lui accorder une faveur qu'elle lui pouvait faire sans qu'il sût même qu'elle la lui faisait. M. de Nemours, qui remarquait son embarras, et qui en devinait quasi la cause, s'approcha d'elle et lui dit tout bas :

— Si vous avez vu ce que j'ai osé faire, ayez la bonté, madame, de me laisser croire que vous l'ignorez; je n'ose vous en demander davantage.

Et il se retira après ces paroles et n'attendit point sa réponse.

Mme la Dauphine sortit pour s'aller promener, suivie de toutes les dames, et M. de Nemours alla se renfermer chez lui, ne pouvant soutenir en public la joie d'avoir un portrait de Mme de Clèves. Il sentait tout ce que la passion peut faire sentir de plus agréable; il aimait la plus aimable personne de la cour; il s'en faisait aimer malgré elle, et il voyait dans toutes ses actions cette sorte de trouble et d'embarras que cause l'amour dans l'innocence de la première jeunesse.

Le soir, on chercha ce portrait avec beaucoup de soin; comme on trouvait la boîte où il devait être, l'on ne soupçonna point qu'il eût été dérobé, et l'on crut qu'il était tombé par hasard. M. de Clèves était affligé de cette perte et, après qu'on eut encore cherché inutilement, il dit à sa femme, mais d'une manière qui faisait voir qu'il ne le pensait pas, qu'elle avait sans doute quelque amant caché à qui elle avait donné ce portrait ou qui l'avait dérobé, et qu'un autre qu'un amant ne se serait pas contenté de la peinture sans la boîte.

Ces paroles, quoique dites en riant, firent une vive impression dans l'esprit de Mme de Clèves. Elles lui donnèrent des remords; elle fit réflexion à la violence de l'inclination qui l'entraînait vers M. de Nemours; elle trouva qu'elle n'était plus maîtresse de ses paroles et de son visage; elle pensa que Lignerolles était revenu; qu'elle ne craignait plus l'affaire d'Angleterre; qu'elle n'avait plus de soupçons sur Mme la Dauphine; qu'enfin il n'y avait plus rien qui la pût défendre et qu'il n'y avait de sûreté pour elle qu'en s'éloignant. Mais, comme elle n'était pas maîtresse de s'éloigner, elle se trouvait dans une grande extrémité et prête à tomber dans ce qui lui paraissait le plus grand des malheurs, qui était de laisser voir à M. de Nemours l'inclination qu'elle avait pour lui. Elle se souvenait de tout ce que Mme de Chartres lui avait dit en mourant et des conseils qu'elle lui avait donnés de prendre toutes sortes de partis, quelque difficiles qu'ils pussent être, plutôt que de s'embarquer dans une galanterie. Ce que M. de Clèves lui avait dit sur la sincérité, en parlant de Mme de Tournon, lui revint dans l'esprit; il lui sembla qu'elle lui devait avouer l'inclination qu'elle avait pour M. de Nemours. Cette pensée l'occupa longtemps; ensuite elle fut étonnée de l'avoir eue, elle y trouva de la folie, et retomba dans l'embarras de ne savoir quel parti prendre.

La paix était signée; Mme Elisabeth, après beaucoup de répugnance, s'était résolue à obéir au roi son père. Le duc d'Albe avait été nommé pour venir l'épouser au nom du roi catholique, et il devait bientôt arriver. L'on attendait le duc de Savoie, qui venait épouser Madame, sœur du roi, et dont les noces se devaient faire en même temps. Le roi ne songeait qu'à rendre ces noces célèbres par des divertissements où il pût faire paraître l'adresse et la magnificence de sa cour. On proposa tout ce qui se pouvait faire de plus grand pour des ballets et des comédies, mais le roi trouva ces divertissements trop particuliers, et il en voulut d'un plus grand éclat. Il résolut de faire un tournoi, où les étrangers seraient reçus, et dont le peuple pourrait être spectateur. Tous les princes et les jeunes seigneurs entrèrent avec joie dans le dessein du roi, et surtout le duc de Ferrare, M. de Guise et M. de Nemours, qui surpassaient tous les autres dans ces sortes d'exercices. Le roi les choisit pour être avec lui les quatre tenants du tournoi.

L'on fit publier, par tout le royaume, qu'en la ville de Paris le pas était ouvert, au quinzième juin, par Sa Majesté Très Chrétienne et par les princes Alphonse d'Este, duc de Ferrare, François de Lorraine, duc de Guise, et Jacques de Savoie, duc de Nemours, pour être tenu contre tous venants, à commencer le premier combat, à cheval en lice, en double pièce, quatre coups de lance et un pour les dames; le deuxième combat, à coups d'épée, un à un ou deux à deux, à la volonté des maîtres du camp; le troisième combat à pied, trois coups de pique et six coups d'épée; que les tenants fourniraient de lances, d'épées et de piques, au choix des assaillants; et que, si en courant on donnait au cheval, on serait mis hors des rangs; qu'il y aurait quatre maîtres de camp pour donner les ordres et que ceux des assaillants qui auraient le plus rompu et le mieux fait, auraient un prix dont la valeur serait à la discrétion des juges; que tous les assaillants, tant français qu'étrangers, seraient tenus de venir toucher à l'un des écus qui seraient pendus au perron au bout de la lice, ou à plusieurs, selon leur choix; que là ils trouveraient un officier d'armes, qui les recevrait pour les enrôler selon leur rang et selon les écus qu'ils auraient touchés; que les assaillants seraient tenus de faire apporter par un gentilhomme leur écu, avec leurs armes, pour le pendre au perron trois jours avant le commencement du tournoi; qu'autrement, ils n'y seraient point reçus sans le congé des tenants.

On fit faire une grande lice proche de la Bastille qui venait du château des Tournelles, qui traversait la rue Saint-Antoine et qui allait rendre aux écuries royales. Il y avait des deux côtés des échafauds et des amphi-

théâtres, avec des loges couvertes qui formaient des
espèces de galeries qui faisaient un très bel effet à la vue
et qui pouvaient contenir un nombre infini de personnes.
Tous les princes et seigneurs ne furent plus occupés que
du soin d'ordonner ce qui leur était nécessaire pour
paraître avec éclat et pour mêler, dans leurs chiffres ou
dans leurs devises, quelque chose de galant qui eût rapport aux personnes qu'ils aimaient.

Peu de jours avant l'arrivée du duc d'Albe, le roi
fit une partie de paume avec M. de Nemours, le chevalier de Guise et le vidame de Chartres. Les reines les
allèrent voir jouer, suivies de toutes les dames et, entre
autres, de Mme de Clèves. Après que la partie fut finie,
comme l'on sortait du jeu de paume, Chastelart s'approcha de la reine dauphine et lui dit que le hasard lui venait
de mettre entre les mains une lettre de galanterie qui
était tombée de la poche de M. de Nemours. Cette
reine, qui avait toujours de la curiosité pour ce qui
regardait ce prince, dit à Chastelart de la lui donner;
elle la prit et suivit la reine, sa belle-mère, qui s'en
allait avec le roi voir travailler à la lice. Après que l'on
y eut été quelque temps, le roi fit amener des chevaux
qu'il avait fait venir depuis peu. Quoiqu'ils ne fussent
pas encore dressés, il les voulut monter, et en fit donner
à tous ceux qui l'avaient suivi. Le roi et M. de Nemours
se trouvèrent sur les plus fougueux; ces chevaux se
voulurent jeter l'un à l'autre. M. de Nemours, par la
crainte de blesser le roi, recula brusquement et porta
son cheval contre un pilier du manège, avec tant de
violence que la secousse le fit chanceler. On courut à
lui, et on le crut considérablement blessé. Mme de Clèves
le crut encore plus blessé que les autres. L'intérêt qu'elle
y prenait lui donna une appréhension et un trouble
qu'elle ne songea pas à cacher; elle s'approcha de lui
avec les reines, et avec un visage si changé qu'un homme
moins intéressé que le chevalier de Guise s'en fût
aperçu; aussi le remarqua-t-il aisément, et il eut bien
plus d'attention à l'état où était Mme de Clèves qu'à
celui où était M. de Nemours. Le coup que ce prince
s'était donné lui causa un si grand éblouissement
qu'il demeura quelque temps la tête penchée sur ceux
qui le soutenaient. Quand il la releva, il vit d'abord
Mme de Clèves; il connut sur son visage la pitié qu'elle
avait de lui et il la regarda d'une sorte qui put lui faire
juger combien il en était touché. Il fit ensuite des remer-

ciements aux reines de la bonté qu'elles lui témoignaient
et des excuses de l'état où il avait été devant elles. Le roi
lui ordonna de s'aller reposer.

Mme de Clèves, après être remise de la frayeur qu'elle
avait eue, fit bientôt réflexion aux marques qu'elle en
avait données. Le chevalier de Guise ne la laissa pas
longtemps dans l'espérance que personne ne s'en serait
aperçu ; il lui donna la main pour la conduire hors de la lice.

— Je suis plus à plaindre que M. de Nemours,
madame, lui dit-il ; pardonnez-moi si je sors de ce profond respect que j'ai toujours eu pour vous, et si je
vous fais paraître la vive douleur que je sens de ce que
je viens de voir : c'est la première fois que j'ai été assez
hardi pour vous parler et ce sera aussi la dernière. La
mort, ou du moins un éloignement éternel, m'ôteront
d'un lieu où je ne puis plus vivre puisque je viens de
perdre la triste consolation de croire que tous ceux qui
osent vous regarder sont aussi malheureux que moi.

Mme de Clèves ne répondit que quelques paroles
mal arrangées, comme si elle n'eût pas entendu ce que
signifiaient celles du chevalier de Guise. Dans un autre
temps elle aurait été offensée qu'il lui eût parlé des sentiments qu'il avait pour elle ; mais dans ce moment elle
ne sentit que l'affliction de voir qu'il s'était aperçu de
ceux qu'elle avait pour M. de Nemours. Le chevalier
de Guise en fut si convaincu et si pénétré de douleur que,
dès ce jour, il prit la résolution de ne penser jamais
à être aimé de Mme de Clèves. Mais pour quitter cette
entreprise, qui lui avait paru si difficile et si glorieuse, il
en fallait quelque autre dont la grandeur pût l'occuper.
Il se mit dans l'esprit de prendre Rhodes, dont il avait
déjà eu quelque pensée ; et, quand la mort l'ôta du
monde dans la fleur de sa jeunesse et dans le temps
qu'il avait acquis la réputation d'un des plus grands
princes de son siècle, le seul regret qu'il témoigna de
quitter la vie, fut de n'avoir pu exécuter une si belle
résolution, dont il croyait le succès infaillible par tous
les soins qu'il en avait pris.

Mme de Clèves, en sortant de la lice, alla chez la reine,
l'esprit bien occupé de ce qui s'était passé. M. de Nemours
y vint peu de temps après, habillé magnifiquement
et comme un homme qui ne se sentait pas de l'accident
qui lui était arrivé. Il paraissait même plus gai que de
coutume ; et la joie de ce qu'il croyait avoir vu, lui
donnait un air qui augmentait encore son agrément.

Tout le monde fut surpris lorsqu'il entra, et il n'y eut personne qui ne lui demandât de ses nouvelles, excepté Mme de Clèves qui demeura auprès de la cheminée sans faire semblant de le voir. Le roi sortit d'un cabinet où il était et, le voyant parmi les autres, il l'appela pour lui parler de son aventure. M. de Nemours passa auprès de Mme de Clèves et lui dit tout bas :

— J'ai reçu aujourd'hui des marques de votre pitié, madame; mais ce n'est pas de celles dont je suis le plus digne.

Mme de Clèves s'était bien doutée que ce prince s'était aperçu de la sensibilité qu'elle avait eue pour lui et ses paroles lui firent voir qu'elle ne s'était pas trompée. Ce lui était une grande douleur de voir qu'elle n'était plus maîtresse de cacher ses sentiments et de les avoir laissés paraître au chevalier de Guise. Elle en avait aussi beaucoup que M. de Nemours les connût; mais cette dernière douleur n'était pas si entière et elle était mêlée de quelque sorte de douceur.

La reine dauphine, qui avait une extrême impatience de savoir ce qu'il y avait dans la lettre que Chastelart lui avait donnée, s'approcha de Mme de Clèves :

— Allez lire cette lettre, lui dit-elle; elle s'adresse à M. de Nemours et, selon les apparences, elle est de cette maîtresse pour qui il a quitté toutes les autres. Si vous ne la pouvez lire présentement, gardez-la; venez ce soir à mon coucher pour me la rendre et pour me dire si vous en connaissez l'écriture.

Mme la Dauphine quitta Mme de Clèves après ces paroles et la laissa si étonnée et dans un si grand saisissement qu'elle fut quelque temps sans pouvoir sortir de sa place. L'impatience et le trouble où elle était ne lui permirent pas de demeurer chez la reine; elle s'en alla chez elle, quoiqu'il ne fût pas l'heure où elle avait accoutumé de se retirer. Elle tenait cette lettre avec une main tremblante; ses pensées étaient si confuses qu'elle n'en avait aucune distincte; et elle se trouvait dans une sorte de douleur insupportable, qu'elle ne connaissait point et qu'elle n'avait jamais sentie. Sitôt qu'elle fut dans son cabinet, elle ouvrit cette lettre, et la trouva telle :

LETTRE

Je vous ai trop aimé pour vous laisser croire que le changement qui vous paraît en moi soit un effet de ma légèreté;

*je veux vous apprendre que votre infidélité en est la cause.
Vous êtes bien surpris que je vous parle de votre infidélité;
vous me l'aviez cachée avec tant d'adresse, et j'ai pris tant
de soin de vous cacher que je la savais, que vous avez raison d'être étonné qu'elle me soit connue. Je suis surprise
moi-même que j'aie pu ne vous en rien faire paraître.
Jamais douleur n'a été pareille à la mienne. Je croyais
que vous aviez pour moi une passion violente; je ne vous
cachais plus celle que j'avais pour vous et, dans le temps
que je vous la laissais voir tout entière, j'appris que vous
me trompiez, que vous en aimiez une autre et que, selon
toutes les apparences, vous me sacrifiez à cette nouvelle
maîtresse. Je le sus le jour de la course de bague; c'est ce
qui fit que je n'y allai point. Je feignis d'être malade pour
cacher le désordre de mon esprit; mais je le devins en effet
et mon corps ne put supporter une si violente agitation.
Quand je commençai à me porter mieux, je feignis encore
d'être fort mal, afin d'avoir un prétexte de ne vous point
voir et de ne vous point écrire. Je voulus avoir du temps pour
résoudre de quelle sorte j'en devais user avec vous; je pris
et je quittai vingt fois les mêmes résolutions; mais enfin je
vous trouvai indigne de voir ma douleur et je résolus de
ne vous la point faire paraître. Je voulus blesser votre
orgueil en vous faisant voir que ma passion s'affaiblissait
d'elle-même. Je crus diminuer par là le prix du sacrifice
que vous en faisiez; je ne voulus pas que vous eussiez le
plaisir de montrer combien je vous aimais pour en paraître
plus aimable. Je résolus de vous écrire des lettres tièdes et
languissantes pour jeter dans l'esprit de celle à qui vous les
donniez que l'on cessait de vous aimer. Je ne voulus pas
qu'elle eût le plaisir d'apprendre que je savais qu'elle
triomphait de moi, ni augmenter son triomphe par mon
désespoir et par mes reproches. Je pensai que je ne vous
punirais pas assez en rompant avec vous et que je ne vous
donnerais qu'une légère douleur si je cessais de vous aimer
lorsque vous ne m'aimiez plus. Je trouvai qu'il fallait que
vous m'aimassiez pour sentir le mal de n'être point aimé,
que j'éprouvais si cruellement. Je crus que si quelque chose
pouvait rallumer les sentiments que vous aviez eus pour
moi, c'était de vous faire voir que les miens étaient changés;
mais de vous le faire voir en feignant de vous le cacher, et
comme si je n'eusse pas eu la force de vous l'avouer. Je
m'arrêtai à cette résolution; mais qu'elle me fut difficile
à prendre, et qu'en vous revoyant elle me parut impossible
à exécuter! Je fus prête cent fois à éclater par mes*

reproches et par mes pleurs; l'état où j'étais encore par ma santé me servit à vous déguiser mon trouble et mon affliction. Je fus soutenue ensuite par le plaisir de dissimuler avec vous, comme vous dissimuliez avec moi; néanmoins, je me faisais une si grande violence pour vous dire et pour vous écrire que je vous aimais que vous vîtes plus tôt que je n'avais eu dessein de vous laisser voir que mes sentiments étaient changés. Vous en fûtes blessé; vous vous en plaignîtes. Je tâchais de vous rassurer; mais c'était d'une manière si forcée que vous en étiez encore mieux persuadé que je ne vous aimais plus. Enfin, je fis tout ce que j'avais eu intention de faire. La bizarrerie de votre cœur vous fit revenir vers moi, à mesure que vous voyiez que je m'éloignais de vous. J'ai joui de tout le plaisir que peut donner la vengeance; il m'a paru que vous m'aimiez mieux que vous n'aviez jamais fait et je vous ai fait voir que je ne vous aimais plus. J'ai eu lieu de croire que vous aviez entièrement abandonné celle pour qui vous m'aviez quittée. J'ai eu aussi des raisons pour être persuadée que vous ne lui aviez jamais parlé de moi; mais votre retour et votre discrétion n'ont pu réparer votre légèreté. Votre cœur a été partagé entre moi et une autre, vous m'avez trompée; cela suffit pour m'ôter le plaisir d'être aimée de vous, comme je croyais mériter de l'être, et pour me laisser dans cette résolution que j'ai prise de ne vous voir jamais et dont vous êtes si surpris.

Mme de Clèves lut cette lettre et la relut plusieurs fois, sans savoir néanmoins ce qu'elle avait lu. Elle voyait seulement que M. de Nemours ne l'aimait pas comme elle l'avait pensé et qu'il en aimait d'autres qu'il trompait comme elle. Quelle vue et quelle connaissance pour une personne de son humeur, qui avait une passion violente, qui venait d'en donner des marques à un homme qu'elle en jugeait indigne et à un autre qu'elle maltraitait pour l'amour de lui! Jamais affliction n'a été si piquante et si vive : il lui semblait que ce qui faisait l'aigreur de cette affliction était ce qui s'était passé dans cette journée et que, si M. de Nemours n'eût point eu lieu de croire qu'elle l'aimait, elle ne se fût pas souciée qu'il en eût aimé une autre. Mais elle se trompait elle-même; et ce mal, qu'elle trouvait si insupportable, était la jalousie avec toutes les horreurs dont elle peut être accompagnée. Elle voyait par cette lettre que M. de Nemours avait une galanterie depuis

longtemps. Elle trouvait que celle qui avait écrit la
lettre avait de l'esprit et du mérite; elle lui paraissait
digne d'être aimée; elle lui trouvait plus de courage
qu'elle ne s'en trouvait à elle-même et elle enviait la
force qu'elle avait eue de cacher ses sentiments à M. de
Nemours. Elle voyait, par la fin de la lettre, que cette
personne se croyait aimée; elle pensait que la discrétion
que ce prince lui avait fait paraître, et dont elle avait été
si touchée, n'était peut-être que l'effet de la passion
qu'il avait pour cette autre personne à qui il craignait
de déplaire. Enfin elle pensait tout ce qui pouvait
augmenter son affliction et son désespoir. Quels retours
ne fit-elle point sur elle-même! quelles réflexions sur les
conseils que sa mère lui avait donnés! Combien se
repentit-elle de ne s'être pas opiniâtrée à se séparer du commerce du monde, malgré M. de Clèves, ou de n'avoir pas
suivi la pensée qu'elle avait eue de lui avouer l'inclination
qu'elle avait pour M. de Nemours! Elle trouvait qu'elle
aurait mieux fait de la découvrir à un mari dont elle
connaissait la bonté, et qui aurait eu intérêt à la cacher,
que de la laisser voir à un homme qui en était indigne,
qui la trompait, qui la sacrifiait peut-être et qui ne pensait à être aimé d'elle que par un sentiment d'orgueil
et de vanité. Enfin, elle trouva que tous les maux qui
lui pouvaient arriver, et toutes les extrémités où elle se
pouvait porter, étaient moindres que d'avoir laissé voir
à M. de Nemours qu'elle l'aimait et de connaître qu'il
en aimait une autre. Tout ce qui la consolait était de
penser au moins, qu'après cette connaissance, elle
n'avait plus rien à craindre d'elle-même, et qu'elle
serait entièrement guérie de l'inclination qu'elle avait
pour ce prince.

Elle ne pensa guère à l'ordre que Mme la Dauphine
lui avait donné de se trouver à son coucher; elle se mit
au lit et feignit de se trouver mal, en sorte que, quand
M. de Clèves revint de chez le roi, on lui dit qu'elle
était endormie; mais elle était bien éloignée de la tranquillité qui conduit au sommeil. Elle passa la nuit sans
faire autre chose que s'affliger et relire la lettre qu'elle
avait entre les mains.

Mme de Clèves n'était pas la seule personne dont
cette lettre troublait le repos. Le vidame de Chartres,
qui l'avait perdue, et non pas M. de Nemours, en était
dans une extrême inquiétude; il avait passé tout le soir
chez M. de Guise, qui avait donné un grand souper au

duc de Ferrare, son beau-frère, et à toute la jeunesse
de la cour. Le hasard fit qu'en soupant on parla de
jolies lettres. Le vidame de Chartres dit qu'il en avait
une sur lui, plus jolie que toutes celles qui avaient
jamais été écrites. On le pressa de la montrer : il s'en
défendit. M. de Nemours lui soutint qu'il n'en avait
point et qu'il ne parlait que par vanité. Le vidame lui
répondit qu'il poussait sa discrétion à bout, que néanmoins il ne montrerait pas la lettre, mais qu'il en lirait
quelques endroits, qui feraient juger que peu d'hommes
en recevaient de pareilles. En même temps, il voulut
prendre cette lettre, et ne la trouva point; il la chercha
inutilement, on lui en fit la guerre; mais il parut si
inquiet que l'on cessa de lui en parler. Il se retira plus
tôt que les autres, et s'en alla chez lui avec impatience,
pour voir s'il n'y avait point laissé la lettre qui lui manquait. Comme il la cherchait encore, un premier valet
de chambre de la reine le vint trouver, pour lui dire
que la vicomtesse d'Uzès avait cru nécessaire de l'avertir
en diligence que l'on avait dit chez la reine qu'il était
tombé une lettre de galanterie de sa poche pendant qu'il
était au jeu de paume; que l'on avait r[a]conté une
grande partie de ce qui était dans la lettre; que la reine
avait témoigné beaucoup de curiosité de la voir; qu'elle
l'avait envoyé demander à un de ses gentilshommes
servants, mais qu'il avait répondu qu'il l'avait laissée
entre les mains de Chastelart.

Le premier valet de chambre dit encore beaucoup
d'autres choses au vidame de Chartres, qui achevèrent
de lui donner un grand trouble. Il sortit à l'heure même
pour aller chez un gentilhomme qui était ami intime
de Chastelart; il le fit lever, quoique l'heure fût extraordinaire, pour aller demander cette lettre, sans dire qui
qui était celui qui la demandait et qui l'avait perdue. Chastelart, qui avait l'esprit prévenu qu'elle était à M. de
Nemours et que ce prince était amoureux de Mme la
Dauphine, ne douta point que ce ne fût lui qui la faisait
redemander. Il répondit, avec une maligne joie, qu'il
avait remis la lettre entre les mains de la reine dauphine.
Le gentilhomme vint faire cette réponse au vidame de
Chartres. Elle augmenta l'inquiétude qu'il avait déjà, et
y en joignit encore de nouvelles; après avoir été longtemps irrésolu sur ce qu'il devait faire, il trouva qu'il
n'y avait que M. de Nemours qui pût lui aider à sortir
de l'embarras où il était.

Il s'en alla chez lui et entra dans sa chambre que le jour ne commençait qu'à paraître. Ce prince dormait d'un sommeil tranquille; ce qu'il avait vu, le jour précédent, de Mme de Clèves, ne lui avait donné que des idées agréables. Il fut bien surpris de se voir éveillé par le vidame de Chartres; et il lui demanda si c'était pour se venger de ce qu'il lui avait dit pendant le souper qu'il venait troubler son repos. Le vidame lui fit bien juger, par son visage, qu'il n'y avait rien que de sérieux au sujet qui l'amenait.

— Je viens vous confier la plus importante affaire de ma vie, lui dit-il. Je sais bien que vous ne m'en devez pas être obligé, puisque c'est dans un temps où j'ai besoin de votre secours; mais je sais bien aussi que j'aurais perdu de votre estime si je vous avais appris tout ce que je vais vous dire, sans que la nécessité m'y eût contraint. J'ai laissé tomber cette lettre dont je parlais hier au soir; il m'est d'une conséquence extrême que personne ne sache qu'elle s'adresse à moi. Elle a été vue de beaucoup de gens qui étaient dans le jeu de paume où elle tomba hier; vous y étiez aussi et je vous demande en grâce de vouloir bien dire que c'est vous qui l'avez perdue.

— Il faut que vous croyiez que je n'ai point de maîtresse, reprit M. de Nemours en souriant, pour me faire une pareille proposition et pour vous imaginer qu'il n'y ait personne avec qui je me puisse brouiller en laissant croire que je reçois de pareilles lettres.

— Je vous prie, dit le vidame, écoutez-moi sérieusement. Si vous avez une maîtresse, comme je n'en doute point, quoique je ne sache pas qui elle est, il vous sera aisé de vous justifier et je vous en donnerai les moyens infaillibles; quand vous ne vous justifieriez pas auprès d'elle, il ne vous en peut coûter que d'être brouillé pour quelques moments. Mais moi, par cette aventure, je déshonore une personne qui m'a passionnément aimé et qui est une des plus estimables femmes du monde; et, d'un autre côté, je m'attire une haine implacable, qui me coûtera ma fortune et peut-être quelque chose de plus.

— Je ne puis entendre tout ce que vous me dites, répondit M. de Nemours; mais vous me faites entrevoir que les bruits qui ont couru de l'intérêt qu'une grande princesse prenait à vous, ne sont pas entièrement faux.

— Ils ne le sont pas aussi, repartit le vidame de

Chartres; et plût à Dieu qu'ils le fussent, je ne me trouverais pas dans l'embarras où je me trouve; mais il faut vous raconter tout ce qui s'est passé, pour vous faire voir tout ce que j'ai à craindre.

« Depuis que je suis à la cour, la reine m'a toujours traité avec beaucoup de distinction et d'agrément, et j'avais eu lieu de croire qu'elle avait de la bonté pour moi; néanmoins, il n'y avait rien de particulier, et je n'avais jamais songé à avoir d'autres sentiments pour elle que ceux du respect. J'étais même fort amoureux de Mme de Thémines; il est aisé de juger en la voyant qu'on peut avoir beaucoup d'amour pour elle quand on en est aimé, et je l'étais. Il y a près de deux ans que, comme la cour était à Fontainebleau, je me trouvai deux ou trois fois en conversation avec la reine, à des heures où il y avait très peu de monde. Il me parut que mon esprit lui plaisait et qu'elle entrait dans tout ce que je disais. Un jour, entre autres, on se mit à parler de la confiance. Je dis qu'il n'y avait personne en qui j'en eusse une entière; que je trouvais que l'on se repentait toujours d'en avoir et que je savais beaucoup de choses dont je n'avais jamais parlé. La reine me dit qu'elle m'en estimait davantage; qu'elle n'avait trouvé personne en France qui eût du secret et que c'était ce qui l'avait le plus embarrassée, parce que cela lui avait ôté le plaisir de donner sa confiance; que c'était une chose nécessaire, dans la vie, que d'avoir quelqu'un à qui on pût parler, et surtout pour les personnes de son rang. Les jours suivants, elle reprit encore plusieurs fois la même conversation; elle m'apprit même des choses assez particulières qui se passaient. Enfin, il me sembla qu'elle souhaitait de s'assurer de mon secret et qu'elle avait envie de me confier les siens. Cette pensée m'attacha à elle, je fus touché de cette distinction et je lui fis ma cour avec beaucoup plus d'assiduité que je n'avais accoutumé. Un soir que le roi et toutes les dames s'étaient allés promener à cheval dans la forêt, où elle n'avait pas voulu aller parce qu'elle s'était trouvée un peu mal, je demeurai auprès d'elle; elle descendit au bord de l'étang et quitta la main de ses écuyers pour marcher avec plus de liberté. Après qu'elle eut fait quelques tours, elle s'approcha de moi, et m'ordonna de la suivre. — Je veux vous parler, me dit-elle; et vous verrez, par ce que je veux vous dire, que je suis de vos amies. Elle s'arrêta à ces paroles, et me regardant fixement : Vous êtes amoureux, continua-t-elle, et, parce que vous ne vous fiez peut-être à personne, vous croyez que votre amour n'est pas su; mais il est connu, et même des personnes intéressées. On vous observe, on sait les lieux où vous voyez votre maîtresse, on a dessein de vous y surprendre. Je ne sais qui elle est; je ne vous le demande point et je veux seulement vous garantir des malheurs où vous pouvez tomber. Voyez, je vous prie, quel piège me tendait la reine et combien il était difficile de n'y pas tomber. Elle voulait savoir si j'étais amoureux; et en ne me demandant point de qui je l'étais et, en ne me laissant voir que la seule intention de me faire plaisir, elle m'ôtait la pensée qu'elle me parlât par curiosité ou par dessein.

« Cependant, contre toutes sortes d'apparences, je démêlai la vérité. J'étais amoureux de Mme de Thémines; mais, quoiqu'elle m'aimât, je n'étais pas assez heureux pour avoir des lieux particuliers à la voir et pour craindre d'y être surpris; et ainsi je vis bien que ce ne pouvait être elle dont la reine voulait parler. Je savais bien aussi que j'avais un commerce de galanterie avec une autre femme moins belle et moins sévère que Mme de Thémines, et qu'il n'était pas impossible que l'on eût découvert le lieu où je la voyais; mais, comme je m'en souciais peu, il m'était aisé de me mettre à couvert de toutes sortes de périls en cessant de la voir. Ainsi je pris le parti de ne rien avouer à la reine et de l'assurer, au contraire, qu'il y avait très longtemps que j'avais abandonné le désir de me faire aimer des femmes dont je pouvais espérer de l'être, parce que je les trouvais quasi toutes indignes d'attacher un honnête homme et qu'il n'y avait que quelque chose fort au-dessus d'elles qui pût m'engager. — Vous ne me répondez pas sincèrement, répliqua la reine; je sais le contraire de ce que vous me dites. La manière dont je vous parle vous doit obliger à ne me rien cacher. Je veux que vous soyez de mes amis, continua-t-elle; mais je ne veux pas, en vous donnant cette place, ignorer quels sont vos attachements. Voyez si vous la voulez acheter au prix de me les apprendre : je vous donne deux jours pour y penser; mais, après ce temps-là, songez bien à ce que vous me direz, et souvenez-vous que si, dans la suite, je trouve que vous m'ayez trompée, je ne vous le pardonnerai de ma vie.

« La reine me quitta après m'avoir dit ces paroles, sans attendre ma réponse. Vous pouvez croire que je demeurai l'esprit bien rempli de ce qu'elle me venait de dire. Les deux jours qu'elle m'avait donnés pour y penser ne me parurent pas trop longs pour me déterminer. Je voyais qu'elle voulait savoir si j'étais amoureux et qu'elle ne souhaitait pas que je le fusse. Je voyais les suites et les conséquences du parti que j'allais prendre; ma vanité n'était pas peu flattée d'une liaison particulière avec une reine, et une reine dont la personne est encore extrêmement aimable. D'un autre côté, j'aimais Mme de Thémines et, quoique je lui fisse une espèce d'infidélité pour cette autre femme dont je vous ai parlé, je ne me pouvais résoudre à rompre avec elle. Je voyais aussi le péril où je m'exposais en trompant la reine et combien il était difficile de la tromper; néanmoins, je ne pus me résoudre à refuser ce que la fortune m'offrait et je pris le hasard de tout ce que ma mauvaise conduite pouvait m'attirer. Je rompis avec cette femme dont on pouvait découvrir le commerce et j'espérai de cacher celui que j'avais avec Mme de Thémines.

« Au bout des deux jours que la reine m'avait donnés, comme j'entrais dans la chambre où toutes les dames étaient au cercle, elle me dit tout haut, avec un air grave qui me surprit : « Avez-vous pensé à cette affaire dont je vous ai chargé et en savez-vous la vérité ? — Oui, madame, lui répondis-je, et elle est comme je l'ai dite à Votre Majesté. — Venez ce soir à l'heure que je dois écrire, répliqua-t-elle, et j'achèverai de vous donner mes ordres. Je fis une profonde révérence sans rien répondre et ne manquai pas de me trouver à l'heure qu'elle m'avait marquée. Je la trouvai dans la galerie où était son secrétaire et quelqu'une de ses femmes. Sitôt qu'elle me vit, elle vint à moi et me mena à l'autre bout de la galerie. — Eh bien! me dit-elle, est-ce après y avoir bien pensé que vous n'avez rien à me dire, et la manière dont j'en use avec vous ne mérite-t-elle pas que vous me parliez sincèrement ? — C'est parce que je vous parle sincèrement, madame, lui répondis-je, que je n'ai rien à vous dire; et je jure à Votre Majesté, avec tout le respect que je lui dois, que je n'ai d'attachement pour aucune femme de la cour. — Je le veux croire, repartit la reine, parce que je le souhaite; et je le souhaite, parce que je désire que vous soyez entièrement attaché à moi, et qu'il serait impossible que je fusse contente de votre amitié si vous étiez amoureux. On ne peut se fier à ceux qui le sont; on ne peut s'assurer de leur secret. Ils sont trop distraits et trop partagés, et leur maîtresse leur fait une première occupation qui ne s'accorde point avec la manière dont je veux que vous soyez attaché à moi. Souvenez-vous donc que c'est sur la parole que vous me donnez, que vous n'avez aucun engagement, que je vous choisis pour vous donner toute ma confiance. Souvenez-vous que je veux la vôtre tout entière; que je veux que vous n'ayez ni ami, ni amie, que ceux qui me seront agréables, et que vous abandonniez tout autre soin que celui de me plaire. Je ne vous ferai pas perdre celui de votre fortune; je la conduirai avec plus d'application que vous-même et, quoi que je fasse pour vous, je m'en tiendrai trop bien récompensée, si je vous trouve pour moi tel que je l'espère. Je vous choisis pour vous confier tous mes chagrins et pour m'aider à les adoucir. Vous pouvez juger qu'ils ne sont pas médiocres. Je souffre en apparence, sans beaucoup de peine, l'attachement du roi pour la duchesse de Valentinois; mais il m'est insupportable. Elle gouverne le roi, elle le trompe, elle me méprise, tous mes gens sont à elle. La reine, ma belle-fille, fière de sa beauté et du crédit de ses oncles, ne me rend aucun devoir. Le connétable de Montmorency est maître du roi et du royaume; il me hait, et m'a donné des marques de sa haine que je ne puis oublier. Le maréchal de Saint-André est un jeune favori audacieux, qui n'en use pas mieux avec moi que les autres. Le détail de mes malheurs vous ferait pitié; je n'ai osé jusqu'ici me fier à personne, je me fie à vous; faites que je ne m'en repente point et soyez ma seule consolation. » Les yeux de la reine rougirent en achevant ces paroles; je pensai me jeter à ses pieds tant je fus véritablement touché de la bonté qu'elle me témoignait. Depuis ce jour-là, elle eut en moi une entière confiance; elle ne fit plus rien sans m'en parler et j'ai conservé une liaison qui dure encore. »

TOME TROISIÈME

— Cependant, quelque rempli et quelque occupé que je fusse de cette nouvelle liaison avec la reine, je tenais à Mme de Thémines par une inclination naturelle que je ne pouvais vaincre. Il me parut qu'elle cessait de m'aimer et, au lieu que, si j'eusse été sage, je me fusse servi du changement qui paraissait en elle pour aider à me guérir, mon amour en redoubla et je me conduisais si mal que la reine eut quelque connaissance de cet attachement. La jalousie est naturelle aux personnes de sa nation, et peut-être que cette princesse a pour moi des sentiments plus vifs qu'elle ne pense elle-même. Mais enfin le bruit que j'étais amoureux lui donna de si grandes inquiétudes et de si grands chagrins que je me crus cent fois perdu auprès d'elle. Je la rassurai enfin à force de soins, de soumissions et de faux serments; mais je n'aurais pu la tromper longtemps si le changement de Mme de Thémines ne m'avait détaché d'elle malgré moi. Elle me fit voir qu'elle ne m'aimait plus; et j'en fus si persuadé que je fus contraint de ne la pas tourmenter davantage et de la laisser en repos. Quelque temps après, elle m'écrivit cette lettre que j'ai perdue. J'appris par là qu'elle avait su le commerce que j'avais eu avec cette autre femme dont je vous ai parlé et que c'était la cause de son changement. Comme je n'avais plus rien alors qui me partageât, la reine était assez contente de moi; mais comme les sentiments que j'ai pour elle ne sont pas d'une nature à me rendre incapable de tout autre attachement et que l'on n'est pas amoureux par sa volonté, je le suis devenu de Mme de Martigues, pour qui j'avais déjà eu beaucoup d'inclination pendant qu'elle était Villemontais, fille de la reine dauphine. J'ai lieu de croire que je n'en suis pas haï; la discrétion que je lui fais paraître et dont elle ne

sait pas toutes les raisons, lui est agréable. La reine n'a
aucun soupçon sur son sujet; mais elle en a un autre
qui n'est guère moins fâcheux. Comme Mme de Martigues est toujours chez la reine dauphine, j'y vais aussi
beaucoup plus souvent que de coutume. La reine s'est
imaginé que c'est de cette princesse que je suis amoureux.
Le rang de la reine dauphine, qui est égal au sien, et la
beauté et la jeunesse qu'elle a au-dessus d'elle, lui donnent une jalousie qui va jusques à la fureur et une haine
contre sa belle-fille qu'elle ne saurait plus cacher. Le cardinal de Lorraine, qui me paraît depuis longtemps aspirer
aux bonnes grâces de la reine et qui voit bien que j'oc-
cupe une place qu'il voudrait remplir, sous prétexte de
raccommoder Mme la Dauphine avec elle, est entré dans
les différends qu'elles ont eus ensemble. Je ne doute pas
qu'il n'ait démêlé le véritable sujet de l'aigreur de la
reine et je crois qu'il me rend toutes sortes de mauvais
offices, sans lui laisser voir qu'il a dessein de me les
rendre. Voilà l'état où sont les choses à l'heure que je
vous parle. Jugez quel effet peut produire la lettre que
j'ai perdue, et que mon malheur m'a fait mettre dans ma
poche pour la rendre à Mme de Thémines. Si la reine
voit cette lettre, elle connaîtra que je l'ai trompée et que
presque dans le temps que je la trompais pour Mme de
Thémines, je trompais Mme de Thémines pour une autre;
jugez quelle idée cela lui peut donner de moi et si elle
peut jamais se fier à mes paroles. Si elle ne voit point
cette lettre, que lui dirai-je? Elle sait qu'on l'a remise
entre les mains de Mme la Dauphine; elle croira que
Chastelart a reconnu l'écriture de cette reine et que la
lettre est d'elle; elle s'imaginera que la personne dont on
témoigne de la jalousie est peut-être elle-même; enfin, il
n'y a rien qu'elle n'ait lieu de penser et il n'y a rien
que je ne doive craindre de ses pensées. Ajoutez à cela
que je suis vivement touché de Mme de Martigues;
qu'assurément Mme la Dauphine lui montrera cette lettre
qu'elle croira écrite depuis peu; ainsi je serai également
brouillé, et avec la personne du monde que j'aime le
plus, et avec la personne du monde que je dois le plus
craindre. Voyez après cela si je n'ai pas raison de vous
conjurer de dire que la lettre est à vous, et de vous demander, en grâce, de l'aller retirer des mains de Mme la
Dauphine.

— Je vois bien, dit M. de Nemours, que l'on ne peut
être dans un plus grand embarras que celui où vous êtes,

et il faut avouer que vous le méritez. On m'a accusé de n'être pas un amant fidèle et d'avoir plusieurs galanteries à la fois; mais vous me passez de si loin que je n'aurais seulement osé imaginer les choses que vous avez entreprises. Pouviez-vous prétendre de conserver Mme de Thémines en vous engageant avec la reine et espériez-vous de vous engager avec la reine et de la pouvoir tromper? Elle est italienne et reine, et par conséquent pleine de soupçons, de jalousie et d'orgueil; quand votre bonne fortune, plutôt que votre bonne conduite, vous a ôté des engagements où vous étiez, vous en avez pris de nouveaux et vous vous êtes imaginé qu'au milieu de la cour, vous pourriez aimer Mme de Martigues sans que la reine s'en aperçût. Vous ne pouviez prendre trop de soins de lui ôter la honte d'avoir fait les premiers pas. Elle a pour vous une passion violente; votre discrétion vous empêche de me le dire et la mienne de vous le demander; mais enfin elle vous aime, elle a de la défiance, et la vérité est contre vous.

— Est-ce à vous à m'accabler de réprimandes, interrompit le vidame, et votre expérience ne vous doit-elle pas donner de l'indulgence pour mes fautes? Je veux pourtant bien convenir que j'ai tort; mais songez, je vous conjure, à me tirer de l'abîme où je suis. Il me paraît qu'il faudrait que vous vissiez la reine dauphine sitôt qu'elle sera éveillée pour lui redemander cette lettre, comme l'ayant perdue.

— Je vous ai déjà dit, reprit M. de Nemours, que la proposition que vous me faites est un peu extraordinaire et que mon intérêt particulier m'y peut faire trouver des difficultés; mais, de plus, si l'on a vu tomber cette lettre de votre poche, il me paraît difficile de persuader qu'elle soit tombée de la mienne.

— Je croyais vous avoir appris, répondit le vidame, que l'on a dit à la reine dauphine que c'était de la vôtre qu'elle était tombée.

— Comment! reprit brusquement M. de Nemours, qui vit dans ce moment les mauvais offices que cette méprise lui pouvait faire auprès de Mme de Clèves, l'on a dit à la reine dauphine que c'est moi qui ai laissé tomber cette lettre?

— Oui, reprit le vidame, on le lui a dit. Et ce qui a fait cette méprise, c'est qu'il y avait plusieurs gentils-hommes des reines dans une des chambres du jeu de paume où étaient nos habits et que vos gens et les miens les ont été quérir. En même temps la lettre est tombée; ces gentilshommes l'ont ramassée et l'ont lue tout haut. Les uns ont cru qu'elle était à vous et les autres à moi. Chastelart, qui l'a prise et à qui je viens de la faire demander, a dit qu'il l'avait donnée à la reine dauphine, comme une lettre qui était à vous; et ceux qui en ont parlé à la reine ont dit par malheur qu'elle était à moi; ainsi vous pouvez faire aisément ce que je souhaite et m'ôter de l'embarras où je suis.

M. de Nemours avait toujours fort aimé le vidame de Chartres, et ce qu'il était à Mme de Clèves le lui rendait encore plus cher. Néanmoins il ne pouvait se résoudre à prendre le hasard qu'elle entendît parler de cette lettre comme d'une chose où il avait intérêt. Il se mit à rêver profondément et le vidame, se doutant à peu près du sujet de sa rêverie:

— Je vois bien, lui dit-il, que vous craignez de vous brouiller avec votre maîtresse, et même vous me donneriez lieu de croire que c'est avec la reine dauphine si le peu de jalousie que je vous vois de M. d'Anville ne m'en ôtait la pensée; mais, quoi qu'il en soit, il est juste que vous ne sacrifiiez pas votre repos au mien et je veux bien vous donner les moyens de faire voir à celle que vous aimez que cette lettre s'adresse à moi et non pas à vous: voilà un billet de Mme d'Amboise, qui est amie de Mme de Thémines et à qui elle s'est fiée de tous les sentiments qu'elle a eus pour moi. Par ce billet elle me redemande cette lettre de son amie, que j'ai perdue; mon nom est sur le billet; et ce qui est dedans prouve sans aucun doute que la lettre que l'on me redemande est la même que l'on a trouvée. Je vous remets ce billet entre les mains et je consens que vous le montriez à votre maîtresse pour vous justifier. Je vous conjure de ne perdre pas un moment et d'aller, dès ce matin, chez Mme la Dauphine.

M. de Nemours le promit au vidame de Chartres et prit le billet de Mme d'Amboise; néanmoins son dessein n'était pas de voir la reine dauphine et il trouvait qu'il avait quelque chose de plus pressé à faire. Il ne doutait pas qu'elle n'eût déjà parlé de la lettre à Mme de Clèves et il ne pouvait supporter qu'une personne qu'il aimait si éperdument, eût lieu de croire qu'il eût quelque attachement pour un[e] autre.

Il alla chez elle à l'heure qu'il crut qu'elle pouvait être éveillée et lui fit dire qu'il ne demanderait pas à avoir l'honneur de la voir, à une heure si extraordinaire, si une affaire de conséquence ne l'y obligeait. Mme de Clèves était encore au lit, l'esprit aigri et agité de tristes pensées qu'elle avait eues pendant la nuit. Elle fut extrêmement surprise lorsqu'on lui dit que M. de Nemours la demandait; l'aigreur où elle était ne la fit pas balancer à répondre qu'elle était malade et qu'elle ne pouvait lui parler.

Ce prince ne fut pas blessé de ce refus : une marque de froideur, dans un temps où elle pouvait avoir de la jalousie, n'était pas un mauvais augure. Il alla à l'appartement de M. de Clèves, et lui dit qu'il venait de celui de madame sa femme, qu'il était bien fâché de ne la pouvoir entretenir, parce qu'il avait à lui parler d'une affaire importante pour le vidame de Chartres. Il fit entendre en peu de mots à M. de Clèves la conséquence de cette affaire, et M. de Clèves le mena à l'heure même dans la chambre de sa femme. Si elle n'eût point été dans l'obscurité, elle eût eu peine à cacher son trouble et son étonnement de voir entrer M. de Nemours conduit par son mari. M. de Clèves lui dit qu'il s'agissait d'une lettre, où l'on avait besoin de son secours pour les intérêts du vidame, qu'elle verrait avec M. de Nemours ce qu'il y avait à faire, et que, pour lui, il s'en allait chez le roi qui venait de l'envoyer quérir.

M. de Nemours demeura seul auprès de Mme de Clèves, comme il le pouvait souhaiter.

— Je viens vous demander, madame, lui dit-il, si Mme la Dauphine ne vous a point parlé d'une lettre que Chastelart lui remit hier entre les mains.

— Elle m'en a dit quelque chose, répondit Mme de Clèves; mais je ne vois pas ce que cette lettre a de commun avec les intérêts de mon oncle et je vous puis assurer qu'il n'y est pas nommé.

— Il est vrai, madame, répliqua M. de Nemours, il n'y est pas nommé; néanmoins elle s'adresse à lui et il lui est très important que vous la retiriez des mains de Mme la Dauphine.

— J'ai peine à comprendre, reprit Mme de Clèves, pourquoi il lui importe que cette lettre soit vue et pourquoi il faut la redemander sous son nom.

— Si vous voulez vous donner le loisir de m'écouter, madame, dit M. de Nemours, je vous ferai bientôt voir la vérité et vous apprendrez des choses si importantes pour M. le Vidame que je ne les aurais pas même confiées à M. le prince de Clèves, si je n'avais eu besoin de son secours pour avoir l'honneur de vous voir.

— Je pense que tout ce que vous prendriez la peine de
me dire serait inutile, répondit Mme de Clèves avec un
air assez sec, et il vaut mieux que vous alliez trouver la
reine dauphine et que, sans chercher de détours, vous lui
disiez l'intérêt que vous avez à cette lettre, puisque aussi
bien on lui a dit qu'elle vient de vous.

L'aigreur que M. de Nemours voyait dans l'esprit de
Mme de Clèves lui donnait le plus sensible plaisir qu'il
eût jamais eu et balançait son impatience de se justifier.

— Je ne sais, madame, reprit-il, ce qu'on peut avoir
dit à Mme la Dauphine; mais je n'ai aucun intérêt à cette
lettre et elle s'adresse à M. le Vidame.

— Je le crois, répliqua Mme de Clèves; mais on a dit
le contraire à la reine dauphine et il ne lui paraîtra pas
vraisemblable que les lettres de M. le Vidame tombent de
vos poches. C'est pourquoi, à moins que vous n'ayez
quelque raison que je ne sais point, à cacher la vérité à
la reine dauphine, je vous conseille de la lui avouer.

— Je n'ai rien à lui avouer, reprit-il; la lettre ne
s'adresse pas à moi et, s'il y a quelqu'un que je souhaite
d'en persuader, ce n'est pas Mme la Dauphine. Mais,
madame, comme il s'agit en ceci de la fortune de M. le
Vidame, trouvez bon que je vous apprenne des choses
qui sont même dignes de votre curiosité.

Mme de Clèves témoigna par son silence qu'elle était
prête à l'écouter, et M. de Nemours lui conta, le plus
succinctement qu'il lui fut possible, tout ce qu'il venait
d'apprendre du vidame. Quoique ce fussent des choses
propres à donner de l'étonnement et à être écoutées avec
attention, Mme de Clèves les entendit avec une froideur
si grande qu'il semblait qu'elle ne les crût pas véritables ou qu'elles lui fussent indifférentes. Son esprit
demeura dans cette situation jusqu'à ce que M. de
Nemours lui parlât du billet de Mme d'Amboise, qui
s'adressait au vidame de Chartres et qui était la preuve
de tout ce qu'il lui venait de dire. Comme Mme de Clèves savait que cette femme était amie de Mme de Thémines, elle trouva une apparence de vérité à ce que lui
disait M. de Nemours, qui lui fit penser que la lettre ne
s'adressait peut-être pas à lui. Cette pensée la tira tout
d'un coup, et malgré elle, de la froideur qu'elle avait eue
jusqu'alors. Ce prince, après lui avoir lu ce billet qui
faisait sa justification, le lui présenta pour le lire et lui
dit qu'elle en pouvait connaître l'écriture; elle ne put
s'empêcher de le prendre, de regarder le dessus pour

voir s'il s'adressait au vidame de Chartres et de le lire
tout entier pour juger si la lettre que l'on redemandait
était la même qu'elle avait entre les mains. M. de Nemours lui dit encore tout ce qu'il crut propre à la persuader; et, comme on persuade aisément une vérité
agréable, il convainquit Mme de Clèves qu'il n'avait
point de part à cette lettre.

Elle commença alors à raisonner avec lui sur l'embarras et le péril où était le vidame, à le blâmer de sa mé-
chante conduite, à chercher les moyens de le secourir;
elle s'étonna du procédé de la reine, elle avoua à M. de
Nemours qu'elle avait la lettre, enfin sitôt qu'elle le crut
innocent, elle entra avec un esprit ouvert et tranquille
dans les mêmes choses qu'elle semblait d'abord ne dai-
gner pas entendre. Ils convinrent qu'il ne fallait point
rendre la lettre à la reine dauphine, de peur qu'elle ne la
montrât à Mme de Martigues, qui connaissait l'écriture
de Mme de Thémines et qui aurait aisément deviné
par l'intérêt qu'elle prenait au vidame, qu'elle s'adressait à lui. Ils trouvèrent aussi qu'il ne fallait pas confier à
la reine dauphine tout ce qui regardait la reine, sa belle-
mère. Mme de Clèves, sous le prétexte des affaires de
son oncle, entrait avec plaisir à garder tous les secrets que
M. de Nemours lui confiait.

Ce prince ne lui eût pas toujours parlé des intérêts du
vidame, et la liberté où il se trouvait de l'entretenir lui
eût donné une hardiesse qu'il n'avait encore osé prendre,
si l'on ne fût venu dire à Mme de Clèves que la reine
dauphine lui ordonnait de l'aller trouver. M. de Nemours
fut contraint de se retirer; il alla trouver le vidame pour
lui dire qu'après l'avoir quitté, il avait pensé qu'il était
plus à propos de s'adresser à Mme de Clèves qui était
sa nièce que d'aller droit à Mme la Dauphine. Il ne manqua pas de raisons pour faire approuver ce qu'il avait
fait et pour en faire espérer un bon succès.

Cependant Mme de Clèves s'habilla en diligence pour
aller chez la reine. A peine parut-elle dans sa chambre,
que cette princesse la fit approcher, [et] lui dit tout bas :

— Il y a deux heures que je vous attends, et jamais
je n'ai été si embarrassée à déguiser la vérité que je l'ai
été ce matin. La reine a entendu parler de la lettre que je
vous donnai hier; elle croit que c'est le vidame de
Chartres qui l'a laissée tomber. Vous savez qu'elle y
prend quelque intérêt; elle a fait chercher cette lettre,
elle l'a fait demander à Chastelart; il a dit qu'il me

l'avait donnée; on me l'est venu demander sur le prétexte que c'était une jolie lettre qui donnait de la curiosité à la reine. Je n'ai osé dire que vous l'aviez; je crus qu'elle s'imaginerait que je vous l'avais mise entre les mains à cause du vidame votre oncle, et qu'il y aurait une grande intelligence entre lui et moi. Il m'a déjà paru qu'elle souffrait avec peine qu'il me vît souvent, de sorte que j'ai dit que la lettre était dans les habits que j'avais hier et que ceux qui en avaient la clef étaient sortis. Donnez-moi promptement cette lettre, ajouta-t-elle, afin que je la lui envoie et que je la lise avant que de l'envoyer pour voir si je n'en connaîtrai point l'écriture.

Mme de Clèves se trouva encore plus embarrassée qu'elle n'avait pensé.

— Je ne sais, madame, comment vous ferez, répondit-elle; car M. de Clèves, à qui je l'avais donnée à lire, l'a rendue à M. de Nemours qui est venu dès ce matin le prier de vous la redemander. M. de Clèves a eu l'imprudence de lui dire qu'il l'avait et il a eu la faiblesse de céder aux prières que M. de Nemours lui a faites de la lui rendre.

— Vous me mettez dans le plus grand embarras où je puisse jamais être, repartit Mme la Dauphine, et vous avez tort d'avoir rendu cette lettre à M. de Nemours; puisque c'était moi qui vous l'avais donnée, vous ne deviez point la rendre sans ma permission. Que voulez-vous que je dise à la reine et que pourra-t-elle s'imaginer? Elle croira, et avec apparence, que cette lettre me regarde et qu'il y a quelque chose entre le vidame et moi. Jamais on ne lui persuadera que cette lettre soit à M. de Nemours.

— Je suis très affligée, répondit Mme de Clèves, de l'embarras que je vous cause. Je le crois aussi grand qu'il est; mais c'est la faute de M. de Clèves et non pas la mienne.

— C'est la vôtre, répliqua Mme la Dauphine, de lui avoir donné la lettre, et il n'y a que vous de femme au monde qui fasse confidence à son mari de toutes les choses qu'elle sait.

— Je crois que j'ai tort, madame, répliqua Mme de Clèves; mais songez à réparer ma faute et non pas à l'examiner.

— Ne vous souvenez-vous point, à peu près, de ce qui est dans cette lettre? dit alors la [reine] dauphine.

— Oui, madame, répondit-elle, je m'en souviens et l'ai relue plus d'une fois.

— Si cela est, reprit Mme la Dauphine, il faut que vous alliez tout à l'heure la faire écrire d'une main inconnue. Je l'enverrai à la reine : elle ne la montrera pas à ceux qui l'ont vue. Quand elle le ferait, je soutiendrai toujours que c'est celle que Chastelart m'a donnée et il n'oserait dire le contraire.

Mme de Clèves entra dans cet expédient, et d'autant plus qu'elle pensa qu'elle enverrait quérir M. de Nemours pour ravoir la lettre même, afin de la faire copier mot à mot et d'en faire à peu près imiter l'écriture, et elle crut que la reine y serait infailliblement trompée. Sitôt qu'elle fut chez elle, elle conta à son mari l'embarras de Mme la Dauphine et le pria d'envoyer chercher M. de Nemours. On le chercha; il vint en diligence. Mme de Clèves lui dit tout ce qu'elle avait déjà appris à son mari et lui demanda la lettre; mais M. de Nemours répondit qu'il l'avait déjà rendue au vidame de Chartres, qui avait eu tant de joie de la ravoir et de se trouver hors du péril qu'il aurait couru qu'il l'avait renvoyée à l'heure même à l'amie de Mme de Thémines. Mme de Clèves se retrouva dans un nouvel embarras; et enfin, après avoir bien consulté, ils résolurent de faire la lettre de mémoire. Ils s'enfermèrent pour y travailler; on donna ordre à la porte de ne laisser entrer personne et on renvoya tous les gens de M. de Nemours. Cet air de mystère et de confidence n'était pas d'un médiocre charme pour ce prince et même pour Mme de Clèves. La présence de son mari et les intérêts du vidame de Chartres la rassuraient en quelque sorte sur ses scrupules. Elle ne sentait que le plaisir de voir M. de Nemours, elle en avait une joie pure et sans mélange qu'elle n'avait jamais sentie : cette joie lui donnait une liberté et un enjouement dans l'esprit que M. de Nemours ne lui avait jamais vus et qui redoublaient son amour. Comme il n'avait point eu encore de si agréables moments, sa vivacité en était augmentée; et quand Mme de Clèves voulut commencer à se souvenir de la lettre et à l'écrire, ce prince, au lieu de lui aider sérieusement, ne faisait que l'interrompre et lui dire des choses plaisantes. Mme de Clèves entra dans le même esprit de gaieté, de sorte qu'il y avait déjà longtemps qu'ils étaient enfermés, et on était déjà venu deux fois de la part de la reine dauphine pour dire à Mme de Clèves de se dépêcher, qu'ils n'avaient pas encore fait la moitié de la lettre.

M. de Nemours était bien aise de faire durer un temps

qui lui était si agréable et oubliait les intérêts de son
ami. Mme de Clèves ne s'ennuyait pas et oubliait aussi
les intérêts de son oncle. Enfin à peine, à quatre heures,
la lettre était-elle achevée, et elle était si mal, et l'écriture dont on la fit copier ressemblait si peu à celle que
l'on avait eu dessein d'imiter qu'il eût fallu que la reine
n'eût guère pris de soin d'éclaircir la vérité pour ne la
pas connaître. Aussi n'y fut-elle pas trompée, quelque
soin que l'on prît de lui persuader que cette lettre
s'adressait à M. de Nemours. Elle demeura convaincue,
non seulement qu'elle était au vidame de Chartres, mais
elle crut que la reine dauphine y avait part et qu'il y
avait quelque intelligence entre eux. Cette pensée augmenta tellement la haine qu'elle avait pour cette princesse qu'elle ne lui pardonna jamais et qu'elle la persécuta
jusqu'à ce qu'elle l'eût fait sortir de France.

Pour le vidame de Chartres, il fut ruiné auprès d'elle,
et, soit que le cardinal de Lorraine se fût déjà rendu
maître de son esprit, ou que l'aventure de cette lettre qui
lui fit voir qu'elle était trompée, lui aidât à démêler les
autres tromperies que le vidame lui avait déjà faites, il
est certain qu'il ne put jamais se raccommoder sincèrement avec elle. Leur liaison se rompit, et elle le perdit
ensuite à la conjuration d'Amboise où il se trouva
embarrassé.

Après qu'on eut envoyé la lettre à Mme la Dauphine,
M. de Clèves et M. de Nemours s'en allèrent. Mme de
Clèves demeura seule, et sitôt qu'elle ne fut plus soutenue
par cette joie que donne la présence de ce que l'on aime,
elle revint comme d'un songe; elle regarda avec étonnement la prodigieuse différence de l'état où elle était le
soir d'avec celui où elle se trouvait alors; elle se remit
devant les yeux l'aigreur et la froideur qu'elle avait fait
paraître à M. de Nemours, tant qu'elle avait cru que la
lettre de Mme de Thémines s'adressait à lui; quel calme
et quelle douceur avaient succédé à cette aigreur, sitôt
qu'il l'avait persuadée que cette lettre ne le regardait pas.
Quand elle pensait qu'elle s'était reproché comme un
crime, le jour précédent, de lui avoir donné des marques
de sensibilité que la seule compassion pouvait avoir fait
naître et que, par son aigreur, elle lui avait fait paraître
des sentiments de jalousie qui étaient des preuves certaines de passion, elle ne se reconnaissait plus elle-même.
Quand elle pensait encore que M. de Nemours voyait
bien qu'elle connaissait son amour, qu'il voyait bien aussi

que, malgré cette connaissance, elle ne l'en traitait pas plus mal en présence même de son mari, qu'au contraire elle ne l'avait jamais regardé si favorablement, qu'elle était cause que M. de Clèves l'avait envoyé quérir et qu'ils venaient de passer une après-dînée ensemble en particulier, elle trouvait qu'elle était d'intelligence avec M. de Nemours, qu'elle trompait le mari du monde qui méritait le moins d'être trompé, et elle était honteuse de paraître si peu digne d'estime aux yeux mêmes de son amant. Mais, ce qu'elle pouvait moins supporter que tout le reste, était le souvenir de l'état où elle avait passé la nuit, et les cuisantes douleurs que lui avait causées la pensée que M. de Nemours aimait ailleurs et qu'elle était trompée.

Elle avait ignoré jusqu'alors les inquiétudes mortelles de la défiance et de la jalousie; elle n'avait pensé qu'à se défendre d'aimer M. de Nemours et elle n'avait point encore commencé à craindre qu'il en aimât une autre. Quoique les soupçons que lui avait donnés cette lettre fussent effacés, ils ne laissèrent pas de lui ouvrir les yeux sur le hasard d'être trompée et de lui donner des impressions de défiance et de jalousie qu'elle n'avait jamais eues. Elle fut étonnée de n'avoir point encore pensé combien il était peu vraisemblable qu'un homme comme M. de Nemours, qui avait toujours fait paraître tant de légèreté parmi les femmes, fût capable d'un attachement sincère et durable. Elle trouva qu'il était presque impossible qu'elle pût être contente de sa passion. Mais quand je le pourrais être, disait-elle, qu'en veux-je faire ? Veux-je la souffrir ? Veux-je y répondre ? Veux-je m'engager dans une galanterie ? Veux-je manquer à M. de Clèves ? Veux-je me manquer à moi-même ? Et veux-je enfin m'exposer aux cruels repentirs et aux mortelles douleurs que donne l'amour ? Je suis vaincue et surmontée par une inclination qui m'entraîne malgré moi. Toutes mes résolutions sont inutiles; je pensai hier tout ce que je pense aujourd'hui et je fais aujourd'hui tout le contraire de ce que je résolus hier. Il faut m'arracher de la présence de M. de Nemours; il faut m'en aller à la campagne, quelque bizarre que puisse paraître mon voyage; et si M. de Clèves s'opiniâtre à l'empêcher ou à en vouloir savoir les raisons, peut-être lui ferai-je le mal, et à moi-même aussi, de les lui apprendre. Elle demeura dans cette résolution et passa tout le soir chez elle, sans aller savoir de Mme la Dauphine ce qui était arrivé de la fausse lettre du vidame.

Quand M. de Clèves fut revenu, elle lui dit qu'elle voulait aller à la campagne, qu'elle se trouvait mal et qu'elle avait besoin de prendre l'air. M. de Clèves, à qui elle paraissait d'une beauté qui ne lui persuadait pas que ses maux fussent considérables, se moqua d'abord de la proposition de ce voyage et lui répondit qu'elle oubliait que les noces des princesses et le tournoi s'allaient faire, et qu'elle n'avait pas trop de temps pour se préparer à y paraître avec la même magnificence que les autres femmes. Les raisons de son mari ne la firent pas changer de dessein; elle le pria de trouver bon que, pendant qu'il irait à Compiègne avec le roi, elle allât à Coulommiers, qui était une belle maison à une journée de Paris, qu'ils faisaient bâtir avec soin. M. de Clèves y consentit; elle y alla dans le dessein de n'en pas revenir sitôt, et le roi partit pour Compiègne où il ne devait être que peu de jours.

M. de Nemours avait eu bien de la douleur de n'avoir point revu Mme de Clèves depuis cette après-dînée qu'il avait passée avec elle si agréablement et qui avait augmenté ses espérances. Il avait une impatience de la revoir qui ne lui donnait point de repos, de sorte que, quand le roi revint à Paris, il résolut d'aller chez sa sœur, la duchesse de Mercœur, qui était à la campagne assez près de Coulommiers. Il proposa au vidame d'y aller avec lui, qui accepta aisément cette proposition; et M. de Nemours la fit dans l'espérance de voir Mme de Clèves et d'aller chez elle avec le vidame.

Mme de Mercœur les reçut avec beaucoup de joie et ne pensa qu'à les divertir et à leur donner tous les plaisirs de la campagne. Comme ils étaient à la chasse à courir le cerf, M. de Nemours s'égara dans la forêt. En s'enquérant du chemin qu'il devait tenir pour s'en retourner, il sut qu'il était proche de Coulommiers. A ce mot de Coulommiers, sans faire aucune réflexion et sans savoir quel était son dessein, il alla à toute bride du côté qu'on le lui montrait. Il arriva dans la forêt et se laissa conduire au hasard par des routes faites avec soin, qu'il jugea bien qui conduisaient vers le château. Il trouva au bout de ces routes un pavillon, dont le dessous était un grand salon accompagné de deux cabinets, dont l'un était ouvert sur un jardin de fleurs, qui n'était séparé de la forêt que par des palissades, et le second donnait sur une grande allée du parc. Il entra dans le pavillon, et il se serait arrêté à en regarder la beauté, sans qu'il vît venir par cette allée du

parc M. et Mme de Clèves, accompagnés d'un grand
nombre de domestiques. Comme il ne s'était pas attendu
à trouver M. de Clèves qu'il avait laissé auprès du roi,
son premier mouvement le porta à se cacher : il entra dans
le cabinet qui donnait sur le jardin de fleurs, dans la
pensée d'en ressortir par une porte qui était ouverte sur
la forêt; mais, voyant que Mme de Clèves et son mari
s'étaient assis sous le pavillon, que leurs domestiques
demeuraient dans le parc et qu'ils ne pouvaient venir à
lui sans passer dans le lieu où étaient M. et Mme de
Clèves, il ne put se refuser le plaisir de voir cette princesse, ni résister à la curiosité d'écouter sa conversation
avec un mari qui lui donnait plus de jalousie qu'aucun de
ses rivaux.

Il entendit que M. de Clèves disait à sa femme :

— Mais pourquoi ne voulez-vous point revenir à
Paris ? Qui vous peut retenir à la campagne ? Vous avez
depuis quelque temps un goût pour la solitude qui
m'étonne et qui m'afflige parce qu'il nous sépare. Je vous
trouve même plus triste que de coutume et je crains que
vous n'ayez quelque sujet d'affliction.

— Je n'ai rien de fâcheux dans l'esprit, répondit-elle
avec un air embarrassé; mais le tumulte de la cour est si
grand et il y a toujours un si grand monde chez vous
qu'il est impossible que le corps et l'esprit ne se lassent
et que l'on ne cherche du repos.

— Le repos, répliqua-t-il, n'est guère propre pour
une personne de votre âge. Vous êtes, chez vous et dans
la cour, d'une sorte à ne vous pas donner de lassitude et
je craindrais plutôt que vous ne fussiez bien aise d'être
séparée de moi.

— Vous me feriez une grande injustice d'avoir cette
pensée, reprit-elle avec un embarras qui augmentait
toujours; mais je vous supplie de me laisser ici. Si vous
y pouviez demeurer, j'en aurais beaucoup de joie, pourvu
que vous y demeurassiez seul, et que vous voulussiez
bien n'y avoir point ce nombre infini de gens qui ne vous
quittent quasi jamais.

— Ah! madame! s'écria M. de Clèves, votre air et vos
paroles me font voir que vous avez des raisons pour souhaiter d'être seule, que je ne sais point, et je vous conjure
de me les dire.

Il la pressa longtemps de les lui apprendre sans pouvoir
l'y obliger; et, après qu'elle se fut défendue d'une manière
qui augmentait toujours la curiosité de son mari, elle

demeura dans un profond silence, les yeux baissés; puis
tout d'un coup prenant la parole et le regardant :

— Ne me contraignez point, lui dit-elle, à vous avouer
une chose que je n'ai pas la force de vous avouer, quoique
j'en aie eu plusieurs fois le dessein. Songez seulement que
la prudence ne veut pas qu'une femme de mon âge, et
maîtresse de sa conduite, demeure exposée au milieu de
la cour.

— Que me faites-vous envisager, madame, s'écria
M. de Clèves. Je n'oserais vous le dire de peur de vous
offenser.

Mme de Clèves ne répondit point; et son silence achevant de confirmer son mari dans ce qu'il avait pensé :

— Vous ne me dites rien, reprit-il, et c'est me dire
que je ne me trompe pas.

— Eh bien, monsieur, lui répondit-elle en se jetant
à ses genoux, je vais vous faire un aveu que l'on n'a
jamais fait à son mari; mais l'innocence de ma conduite
et de mes intentions m'en donne la force. Il est vrai que
j'ai des raisons de m'éloigner de la cour et que je veux
éviter les périls où se trouvent quelquefois les personnes
de mon âge. Je n'ai jamais donné nulle marque de faiblesse et je ne craindrais pas d'en laisser paraître si vous
me laissiez la liberté de me retirer de la cour ou si j'avais
encore Mme de Chartres pour aider à me conduire.
Quelque dangereux que soit le parti que je prends, je le
prends avec joie pour me conserver digne d'être à vous.
Je vous demande mille pardons, si j'ai des sentiments qui
vous déplaisent, du moins je ne vous déplairai jamais
par mes actions. Songez que pour faire ce que je fais, il
faut avoir plus d'amitié et plus d'estime pour un mari
que l'on en a jamais eu; conduisez-moi, ayez pitié de moi,
et aimez-moi encore, si vous pouvez.

M. de Clèves était demeuré, pendant tout ce discours,
la tête appuyée sur ses mains, hors de lui-même, et il
n'avait pas songé à faire relever sa femme. Quand elle
eut cessé de parler, qu'il jeta les yeux sur elle, qu'il la
vit à ses genoux le visage couvert de larmes et d'une
beauté si admirable, il pensa mourir de douleur, et
l'embrassant en la relevant :

— Ayez pitié de moi vous-même, madame, lui dit-il,
j'en suis digne; et pardonnez si, dans les premiers
moments d'une affliction aussi violente qu'est la mienne,
je ne réponds pas, comme je dois, à un procédé comme le
vôtre. Vous me paraissez plus digne d'estime et d'admi-

ration que tout ce qu'il y a jamais eu de femmes au monde; mais aussi je me trouve le plus malheureux homme qui ait jamais été. Vous m'avez donné de la passion dès le premier moment que je vous ai vue; vos rigueurs et votre possession n'ont pu l'éteindre : elle dure encore; je n'ai jamais pu vous donner de l'amour, et je vois que vous craignez d'en avoir pour un autre. Et qui est-il, madame, cet homme heureux qui vous donne cette crainte? Depuis quand vous plaît-il? Qu'a-t-il fait pour vous plaire? Quel chemin a-t-il trouvé pour aller à votre cœur? Je m'étais consolé en quelque sorte de ne l'avoir pas touché par la pensée qu'il était incapable de l'être. Cependant un autre fait ce que je n'ai pu faire. J'ai tout ensemble la jalousie d'un mari et celle d'un amant; mais il est impossible d'avoir celle d'un mari après un procédé comme le vôtre. Il est trop noble pour ne me pas donner une sûreté entière; il me console même comme votre amant. La confiance et la sincérité que vous avez pour moi sont d'un prix infini : vous m'estimez assez pour croire que je n'abuserai pas de cet aveu. Vous avez raison, madame, je n'en abuserai pas et je ne vous en aimerai pas moins. Vous me rendez malheureux par la plus grande marque de fidélité que jamais une femme ait donnée à son mari. Mais, madame, achevez et apprenez-moi qui est celui que vous voulez éviter.

— Je vous supplie de ne me le point demander, répondit-elle; je suis résolue de ne vous le pas dire et je crois que la prudence ne veut pas que je vous le nomme.

— Ne craignez point, madame, reprit M. de Clèves, je connais trop le monde pour ignorer que la considération d'un mari n'empêche pas que l'on ne soit amoureux de sa femme. On doit haïr ceux qui le sont et non pas s'en plaindre; et encore une fois, madame, je vous conjure de m'apprendre ce que j'ai envie de savoir.

— Vous m'en presseriez inutilement, répliqua-t-elle; j'ai de la force pour taire ce que je crois ne pas devoir dire. L'aveu que je vous ai fait n'a pas été par faiblesse, et il faut plus de courage pour avouer cette vérité que pour entreprendre de la cacher.

M. de Nemours ne perdait pas une parole de cette conversation; et ce que venait de dire Mme de Clèves ne lui donnait guère moins de jalousie qu'à son mari. Il était si éperdument amoureux d'elle qu'il croyait que tout le monde avait les mêmes sentiments. Il était véritable aussi qu'il avait plusieurs rivaux; mais il s'en ima-

ginait encore davantage, et son esprit s'égarait à chercher
celui dont Mme de Clèves voulait parler. Il avait cru
bien des fois qu'il ne lui était pas désagréable et il avait
fait ce jugement sur des choses qui lui parurent si
légères dans ce moment qu'il ne put s'imaginer qu'il eût
donné une passion qui devait être bien violente pour avoir
recours à un remède si extraordinaire. Il était si trans-
porté qu'il ne savait quasi ce qu'il voyait, et il ne pouvait
pardonner à M. de Clèves de ne pas assez presser sa
femme de lui dire ce nom qu'elle lui cachait.

M. de Clèves faisait néanmoins tous ses efforts pour le
savoir; et, après qu'il l'en eut pressée inutilement :

— Il me semble, répondit-elle, que vous devez être
content de ma sincérité; ne m'en demandez pas davantage et ne me donnez point lieu de me repentir de ce que
je viens de faire. Contentez-vous de l'assurance que je
vous donne encore, qu'aucune de mes actions n'a fait
paraître mes sentiments et que l'on ne m'a jamais rien
dit dont j'aie pu m'offenser.

— Ah! madame, reprit tout d'un coup M. de Clèves,
je ne vous saurais croire. Je me souviens de l'embarras
où vous fûtes le jour que votre portrait se perdit. Vous
avez donné, madame, vous avez donné ce portrait qui
m'était si cher et qui m'appartenait si légitimement.
Vous n'avez pu cacher vos sentiments; vous aimez, on
le sait; votre vertu vous a jusqu'ici garantie du reste.

— Est-il possible, s'écria cette princesse, que vous
puissiez penser qu'il y ait quelque déguisement dans un
aveu comme le mien, qu'aucune raison ne m'obligeait
à vous faire ? Fiez-vous à mes paroles; c'est par un assez
grand prix que j'achète la confiance que je vous demande.
Croyez, je vous en conjure, que je n'ai point donné mon
portrait; il est vrai que je le vis prendre; mais je ne voulus
pas faire paraître que je le voyais, de peur de m'exposer à
me faire dire des choses que l'on ne m'a encore osé
dire.

— Par où vous a-t-on donc fait voir qu'on vous aimait,
reprit M. de Clèves, et quelles marques de passion vous
a-t-on données ?

— Epargnez-moi la peine, répliqua-t-elle, de vous
redire des détails qui me font honte à moi-même de les
avoir remarqués et qui ne m'ont que trop persuadée de
ma faiblesse.

— Vous avez raison, madame, reprit-il, je suis injuste.
Refusez-moi toutes les fois que je vous demanderai de

pareilles choses; mais ne vous offensez pourtant pas si je vous les demande.

Dans ce moment plusieurs de leurs gens, qui étaient demeurés dans les allées, vinrent avertir M. de Clèves qu'un gentilhomme venait le chercher, de la part du roi, pour lui ordonner de se trouver le soir à Paris. M. de Clèves fut contraint de s'en aller et il ne put rien dire à sa femme, sinon qu'il la suppliait de venir le lendemain, et qu'il la conjurait de croire que, quoiqu'il fût affligé, il avait pour elle une tendresse et une estime dont elle devait être satisfaite.

Lorsque ce prince fut parti, que Mme de Clèves demeura seule, qu'elle regarda ce qu'elle venait de faire, elle en fut si épouvantée qu'à peine put-elle s'imaginer que ce fût une vérité. Elle trouva qu'elle s'était ôté elle-même le cœur et l'estime de son mari et qu'elle s'était creusé un abîme dont elle ne sortirait jamais. Elle se demandait pourquoi elle avait fait une chose si hasardeuse, et elle trouvait qu'elle s'y était engagée sans en avoir presque eu le dessein. La singularité d'un pareil aveu, dont elle ne trouvait point d'exemple, lui en faisait voir tout le péril.

Mais quand elle venait à penser que ce remède, quelque violent qu'il fût, était le seul qui la pouvait défendre contre M. de Nemours, elle trouvait qu'elle ne devait point se repentir et qu'elle n'avait point trop hasardé. Elle passa toute la nuit, pleine d'incertitude, de trouble et de crainte, mais enfin le calme revint dans son esprit. Elle trouva même de la douceur à avoir donné ce témoignage de fidélité à un mari qui le méritait si bien, qui avait tant d'estime et tant d'amitié pour elle, et qui venait de lui en donner encore des marques par la manière dont il avait reçu ce qu'elle lui avait avoué.

Cependant M. de Nemours était sorti du lieu où il avait entendu une conversation qui le touchait si sensiblement et s'était enfoncé dans la forêt. Ce qu'avait dit Mme de Clèves de son portrait lui avait redonné la vie en lui faisant connaître que c'était lui qu'elle ne haïssait pas. Il s'abandonna d'abord à cette joie; mais elle ne fut pas longue, quand il fit réflexion que la même chose qui lui venait d'apprendre qu'il avait touché le cœur de Mme de Clèves, le devait persuader aussi qu'il n'en recevrait jamais nulle marque et qu'il était impossible d'engager une personne qui avait recours à un remède si extraordinaire. Il sentit pourtant un plaisir sensible de

l'avoir réduite à cette extrémité. Il trouva de la gloire à
s'être fait aimer d'une femme si différente de toutes celles
de son sexe; enfin, il se trouva cent fois heureux et malheureux tout ensemble. La nuit le surprit dans la forêt,
et il eut beaucoup de peine à retrouver le chemin de chez
Mme de Mercœur. Il y arriva à la pointe du jour. Il fut
assez embarrassé de rendre compte de ce qui l'avait
retenu; il s'en démêla le mieux qu'il lui fut possible et
revint ce jour même à Paris avec le vidame.

Ce prince était si rempli de sa passion, et si surpris de
ce qu'il avait entendu, qu'il tomba dans une imprudence assez ordinaire, qui est de parler en termes généraux de ses sentiments particuliers et de conter ses
propres aventures sous des noms empruntés. En revenant il tourna la conversation sur l'amour, il exagéra le
plaisir d'être amoureux d'une personne digne d'être
aimée. Il parla des effets bizarres de cette passion et
enfin ne pouvant renfermer en lui-même l'étonnement
que lui donnait l'action de Mme de Clèves, il la conta au
vidame, sans lui nommer la personne et sans lui dire qu'il
y eût aucune part; mais il la conta avec tant de chaleur et
avec tant d'admiration que le vidame soupçonna aisément
que cette histoire regardait ce prince. Il le pressa extrêmement de le lui avouer. Il lui dit qu'il connaissait depuis
longtemps qu'il avait quelque passion violente et qu'il
y avait de l'injustice de se défier d'un homme qui lui
avait confié le secret de sa vie. M. de Nemours était trop
amoureux pour avouer son amour; il l'avait toujours
caché au vidame, quoique ce fût l'homme de la cour qu'il
aimât le mieux. Il lui répondit qu'un de ses amis lui avait
conté cette aventure et lui avait fait promettre de n'en
point parler, et qu'il le conjurait aussi de garder ce
secret. Le vidame l'assura qu'il n'en parlerait point; néanmoins M. de Nemours se repentit de lui en avoir tant
appris.

Cependant, M. de Clèves était allé trouver le roi, le
cœur pénétré d'une douleur mortelle. Jamais mari n'avait
eu une passion si violente pour sa femme et ne l'avait tant
estimée. Ce qu'il venait d'apprendre ne lui ôtait pas l'estime; mais elle lui en donnait d'une espèce différente de
celle qu'il avait eue jusqu'alors. Ce qui l'occupait le plus,
était l'envie de deviner celui qui avait su lui plaire. M. de
Nemours lui vint d'abord dans l'esprit, comme ce qu'il y
avait de plus aimable à la cour; et le chevalier de Guise,
et le maréchal de Saint-André, comme deux hommes

qui avaient pensé à lui plaire et qui lui rendaient encore beaucoup de soins; de sorte qu'il s'arrêta à croire qu'il fallait que ce fût l'un des trois. Il arriva au Louvre, et le roi le mena dans son cabinet pour lui dire qu'il l'avait choisi pour conduire Madame en Espagne; qu'il avait cru que personne ne s'acquitterait mieux que lui de cette commission et que personne aussi ne ferait tant d'honneur à la France que Mme de Clèves. M. de Clèves reçut l'honneur de ce choix comme il le devait, et le regarda même comme une chose qui éloignerait sa femme de la cour sans qu'il parût de changement dans sa conduite. Néanmoins le temps de ce départ était encore trop éloigné pour être un remède à l'embarras où il se trouvait. Il écrivit à l'heure même à Mme de Clèves, pour lui apprendre ce que le roi venait de lui dire, et il lui manda encore qu'il voulait absolument qu'elle revînt à Paris. Elle y revint comme il l'ordonnait et lorsqu'ils se virent, ils se trouvèrent tous deux dans une tristesse extraordinaire.

M. de Clèves lui parla comme le plus honnête homme du monde et le plus digne de ce qu'elle avait fait.

— Je n'ai nulle inquiétude de votre conduite, lui dit-il; vous avez plus de force et plus de vertu que vous ne pensez. Ce n'est point aussi la crainte de l'avenir qui m'afflige. Je ne suis affligé que de vous voir pour un autre des sentiments que je n'ai pu vous donner.

— Je ne sais que vous répondre, lui dit-elle; je meurs de honte en vous en parlant. Epargnez-moi, je vous en conjure, de si cruelles conversations; réglez ma conduite; faites que je ne voie personne. C'est tout ce que je vous demande. Mais trouvez bon que je ne vous parle plus d'une chose qui me fait paraître si peu digne de vous et que je trouve si indigne de moi.

— Vous avez raison, madame, répliqua-t-il; j'abuse de votre douceur et de votre confiance; mais aussi ayez quelque compassion de l'état où vous m'avez mis, et songez que, quoi que vous m'ayez dit, vous me cachez un nom qui me donne une curiosité avec laquelle je ne saurais vivre. Je ne vous demande pourtant pas de la satisfaire; mais je ne puis m'empêcher de vous dire que je crois que celui que je dois envier est le maréchal de Saint-André, le duc de Nemours ou le chevalier de Guise.

— Je ne vous répondrai rien, lui dit-elle en rougissant, et je ne vous donnerai aucun lieu, par mes réponses, de diminuer ni de fortifier vos soupçons; mais si vous essayez de les éclaircir en m'observant, vous me donne-

rez un embarras qui paraîtra aux yeux de tout le monde.
Au nom de Dieu, continua-t-elle, trouvez bon que, sur
le prétexte de quelque maladie, je ne voie personne.

— Non, madame, répliqua-t-il, on démêlerait bientôt que ce serait une chose supposée; et, de plus, je ne
me veux fier qu'à vous-même : c'est le chemin que mon
cœur me conseille de prendre, et la raison me le conseille
aussi. De l'humeur dont vous êtes, en vous laissant votre
liberté, je vous donne des bornes plus étroites que je ne
pourrais vous en prescrire.

M. de Clèves ne se trompait pas : la confiance qu'il
témoignait à sa femme la fortifiait davantage contre
M. de Nemours et lui faisait prendre des résolutions
plus austères qu'aucune contrainte n'aurait pu faire.
Elle alla donc au Louvre et chez la reine dauphine à son
ordinaire; mais elle évitait la présence et les yeux de
M. de Nemours avec tant de soin qu'elle lui ôta quasi
toute la joie qu'il avait de se croire aimé d'elle. Il ne voyait
rien dans ses actions qui ne lui persuadât le contraire. Il
ne savait quasi si ce qu'il avait entendu n'était point un
songe, tant il y trouvait peu de vraisemblance. La seule
chose qui l'assurait qu'il ne s'était pas trompé était
l'extrême tristesse de Mme de Clèves, quelque effort
qu'elle fît pour la cacher : peut-être que des regards et
des paroles obligeantes n'eussent pas tant augmenté
l'amour de M. de Nemours que faisait cette conduite
austère.

Un soir que M. et Mme de Clèves étaient chez la
reine, quelqu'un dit que le bruit courait que le roi
[nomme]rait encore un grand seigneur de la cour pour
aller conduire Madame en Espagne. M. de Clèves avait
les yeux sur sa femme dans le temps que l'on ajouta que
ce serait peut-être le chevalier de Guise ou le maréchal
de Saint-André. Il remarqua qu'elle n'avait point été
émue de ces deux noms, ni de la proposition qu'ils fissent
ce voyage avec elle. Cela lui fit croire que pas un des deux
n'était celui dont elle craignait la présence et, voulant
s'éclaircir de ses soupçons, il entra dans le cabinet de la
reine, où était le roi. Après y avoir demeuré quelque
temps, il revint auprès de sa femme et lui dit tout bas
qu'il venait d'apprendre que ce serait M. de Nemours
qui irait avec eux en Espagne.

Le nom de M. de Nemours et la pensée d'être exposée à
le voir tous les jours pendant un long voyage, en présence
de son mari, donnèrent un tel trouble à Mme de Clèves

qu'elle ne le put cacher; et, voulant y donner d'autres raisons :

— C'est un choix bien désagréable pour vous, répondit-elle, que celui de ce prince. Il partagera tous les honneurs et il me semble que vous devriez essayer de faire choisir quelque autre.

— Ce n'est pas la gloire, madame, reprit M. de Clèves, qui vous fait appréhender que M. de Nemours ne vienne avec moi. Le chagrin que vous en avez vient d'une autre cause. Ce chagrin m'apprend ce que j'aurais appris d'une autre femme, par la joie qu'elle en aurait eue. Mais ne craignez point; ce que je viens de vous dire n'est pas véritable, et je l'ai inventé pour m'assurer d'une chose que je ne croyais déjà que trop.

Il sortit après ces paroles, ne voulant pas augmenter par sa présence l'extrême embarras où il voyait sa femme.

M. de Nemours entra dans cet instant et remarqua d'abord l'état où était Mme de Clèves. Il s'approcha d'elle et lui dit tout bas qu'il n'osait, par respect, lui demander ce qui la rendait plus rêveuse que de coutume. La voix de M. de Nemours la fit revenir, et le regardant, sans avoir entendu ce qu'il venait de lui dire, pleine de ses propres pensées et de la crainte que son mari ne le vît auprès d'elle :

— Au nom de Dieu, lui dit-elle, laissez-moi en repos!

— Hélas! madame, répondit-il, je ne vous y laisse que trop; de quoi pouvez-vous vous plaindre? Je n'ose vous parler, je n'ose même vous regarder; je ne vous approche qu'en tremblant. Par où me suis-je attiré ce que vous venez de me dire, et pourquoi me faites-vous paraître que j'ai quelque part au chagrin où je vous vois?

Mme de Clèves fut bien fâchée d'avoir donné lieu à M. de Nemours de s'expliquer plus clairement qu'il n'avait fait en toute sa vie. Elle le quitta, sans lui répondre, et s'en revint chez elle, l'esprit plus agité qu'elle ne l'avait jamais eu. Son mari s'aperçut aisément de l'augmentation de son embarras. Il vit qu'elle craignait qu'il ne lui parlât de ce qui s'était passé. Il la suivit dans un cabinet où elle était entrée.

— Ne m'évitez point, madame, lui dit-il, je ne vous dirai rien qui puisse vous déplaire; je vous demande pardon de la surprise que je vous ai faite tantôt. J'en suis assez puni par ce que j'ai appris. M. de Nemours était de tous les hommes celui que je craignais le plus. Je vois le péril où vous êtes; ayez du pouvoir sur vous pour

l'amour de vous-même et, s'il est possible, pour l'amour
de moi. Je ne vous le demande point comme un mari,
mais comme un homme dont vous faites tout le bonheur,
et qui a pour vous une passion plus tendre et plus violente que celui que votre cœur lui préfère.

M. de Clèves s'attendrit en prononçant ces dernières
paroles et eut peine à les achever. Sa femme en fut pénétrée et, fondant en larmes, elle l'embrassa avec une tendresse et une douleur qui le mirent dans un état peu différent du sien. Ils demeurèrent quelque temps sans se
rien dire et se séparèrent sans avoir la force de se parler.

Les préparatifs pour le mariage de Madame étaient
achevés. Le duc d'Albe arriva pour l'épouser. Il fut reçu
avec toute la magnificence et toutes les cérémonies qui
se pouvaient faire dans une pareille occasion. Le roi
envoya au-devant de lui le prince de Condé, les cardi-
naux de Lorraine et de Guise, les ducs de Lorraine,
de Ferrare, d'Aumale, de Bouillon, de Guise et de
Nemours. Ils avaient plusieurs gentilshommes et grand
nombre de pages vêtus de leurs livrées. Le roi attendit
lui-même le duc d'Albe à la première porte du Louvre,
avec les deux cents gentilshommes servants et le connétable à leur tête. Lorsque ce duc fut proche du roi, il
voulut lui embrasser les genoux ; mais le roi l'en empêcha
et le fit marcher à son côté jusque chez la reine et chez
Madame, à qui le duc d'Albe apporta un présent magnifique de la part de son maître. Il alla ensuite chez
Mme Marguerite, sœur du roi, lui faire les compliments de
M. de Savoie et l'assurer qu'il arriverait dans peu de
jours. L'on fit de grandes assemblées au Louvre pour
faire voir au duc d'Albe, et au prince d'Orange qui
l'avait accompagné, les beautés de la cour.

Mme de Clèves n'osa se dispenser de s'y trouver,
quelque envie qu'elle en eût, par la crainte de déplaire à
son mari qui lui commanda absolument d'y aller. Ce qui
l'y déterminait encore davantage était l'absence de M. de
Nemours. Il était allé au-devant de M. de Savoie et,
après que ce prince fut arrivé, il fut obligé de se tenir
presque toujours auprès de lui pour lui aider à toutes
les choses qui regardaient les cérémonies de ses noces.
Cela fit que Mme de Clèves ne rencontra pas ce prince
aussi souvent qu'elle avait accoutumé ; et elle s'en trouvait dans quelque sorte de repos.

Le vidame de Chartres n'avait pas oublié la conversation qu'il avait eue avec M. de Nemours. Il lui était

demeuré dans l'esprit que l'aventure que ce prince lui avait contée était la sienne propre, et il l'observait avec tant de soin que peut-être aurait-il démêlé la vérité, sans que l'arrivée du duc d'Albe et celle de M. de Savoie firent un changement et une occupation dans la cour qui l'empêchèrent de voir ce qui aurait pu l'éclairer. L'envie de s'éclaircir, ou plutôt la disposition naturelle que l'on a de conter tout ce que l'on sait à ce que l'on aime, fit qu'il redit à Mme de Martigues l'action extraordinaire de cette personne, qui avait avoué à son mari la passion qu'elle avait pour un autre. Il l'assura que M. de Nemours était celui qui avait inspiré cette violente passion et il la conjura de lui aider à observer ce prince. Mme de Martigues fut bien aise d'apprendre ce que lui dit le vidame; et la curiosité qu'elle avait toujours vue à Mme la Dauphine, pour ce qui regardait M. de Nemours, lui donnait encore plus d'envie de pénétrer cette aventure.

Peu de jours avant celui que l'on avait choisi pour la cérémonie du mariage, la reine dauphine donnait à souper au roi son beau-père et à la duchesse de Valentinois. Mme de Clèves, qui était occupée à s'habiller, alla au Louvre plus tard que de coutume. En y allant, elle trouva un gentilhomme qui la venait quérir de la part de Mme la Dauphine. Comme elle entra dans la chambre, cette princesse lui cria, de dessus son lit où elle était, qu'elle l'attendait avec une grande impatience.

— Je crois, madame, lui répondit-elle, que je ne dois pas vous remercier de cette impatience et qu'elle est sans doute causée par quelque autre chose que par l'envie de me voir.

— Vous avez raison, lui répliqua la reine dauphine; mais néanmoins vous devez m'en être obligée, car je veux vous apprendre une aventure que je suis assurée que vous serez bien aise de savoir.

Mme de Clèves se mit à genoux devant son lit et, par bonheur pour elle, elle n'avait pas le jour au visage.

— Vous savez, lui dit cette reine, l'envie que nous avions de deviner ce qui causait le changement qui paraît au duc de Nemours : je crois le savoir, et c'est une chose qui vous surprendra. Il est éperdument amoureux et fort aimé d'une des plus belles personnes de la cour.

Ces paroles, que Mme de Clèves ne pouvait s'attribuer puisqu'elle ne croyait pas que personne sût qu'elle aimait ce prince, lui causèrent une douleur qu'il est aisé de s'imaginer.

— Je ne vois rien en cela, répondit-elle, qui doive surprendre d'un homme de l'âge de M. de Nemours et fait comme il est.

— Ce n'est pas aussi, reprit Mme la Dauphine, ce qui vous doit étonner; mais c'est de savoir que cette femme qui aime M. de Nemours, ne lui en a jamais donné aucune marque et que la peur qu'elle a eue de n'être pas toujours maîtresse de sa passion, a fait qu'elle l'a avouée à son mari, afin qu'il l'ôtât de la cour. Et c'est M. de Nemours lui-même qui a conté ce que je vous dis.

Si Mme de Clèves avait eu d'abord de la douleur par la pensée qu'elle n'avait aucune part à cette aventure, les dernières paroles de Mme la Dauphine lui donnèrent du désespoir, par la certitude de n'y en avoir que trop. Elle ne put répondre et demeura la tête penchée sur le lit pendant que la reine continuait de parler, si occupée de ce qu'elle disait qu'elle ne prenait pas garde à cet embarras. Lorsque Mme de Clèves fut un peu remise :

— Cette histoire ne me paraît guère vraisemblable, madame, répondit-elle, et je voudrais bien savoir qui vous l'a contée.

— C'est Mme de Martigues, répliqua Mme la Dauphine, qui l'a apprise du vidame de Chartres. Vous savez qu'il en est amoureux; il la lui a confiée comme un secret et il la sait du duc de Nemours lui-même. Il est vrai que le duc de Nemours ne lui a pas dit le nom de la dame et ne lui a pas même avoué que ce fût lui qui en fût aimé; mais le vidame de Chartres n'en doute point.

Comme la reine dauphine achevait ces paroles, quelqu'un s'approcha du lit. Mme de Clèves était tournée d'une sorte qui l'empêchait de voir qui c'était; mais elle n'en douta pas, lorsque Mme la Dauphine se récria avec un air de gaieté et de surprise :

— Le voilà lui-même, et je veux lui demander ce qui en est.

Mme de Clèves connut bien que c'était le duc de Nemours, comme ce l'était en effet, sans se tourner de son côté. Elle s'avança avec précipitation vers Mme la Dauphine, et lui dit tout bas qu'il fallait bien se garder de lui parler de cette aventure; qu'il l'avait confiée au vidame de Chartres; et que ce serait une chose capable de les brouiller. Mme la Dauphine lui répondit, en riant, qu'elle était trop prudente et se retourna vers M. de Nemours. Il était paré pour l'assemblée du soir et, prenant la parole avec cette grâce qui lui était si naturelle :

— Je crois, madame, dit-il, que je puis penser, sans témérité, que vous parliez de moi quand je suis entré, que vous aviez dessein de me demander quelque chose et que Mme de Clèves s'y oppose.

— Il est vrai, répondit Mme la Dauphine; mais je n'aurai pas pour elle la complaisance que j'ai accoutumé d'avoir. Je veux savoir de vous si une histoire que l'on m'a contée est véritable et si vous n'êtes pas celui qui êtes amoureux et aimé d'une femme de la cour qui vous cache sa passion avec soin et qui l'a avouée à son mari.

Le trouble et l'embarras de Mme de Clèves étaient audelà de tout ce que l'on peut s'imaginer, et, si la mort se fût présentée pour la tirer de cet état, elle l'aurait trouvée agréable. Mais M. de Nemours était encore plus embarrassé, s'il est possible. Le discours de Mme la Dauphine, dont il avait eu lieu de croire qu'il n'était pas haï, en présence de Mme de Clèves, qui était la personne de la cour en qui elle avait le plus de confiance, et qui en avait aussi le plus en elle, lui donnait une si grande confusion de pensées bizarres qu'il lui fut impossible d'être maître de son visage. L'embarras où il voyait Mme de Clèves par sa faute, et la pensée du juste sujet qu'il lui donnait de le haïr, lui causèrent un saisissement qui ne lui permit pas de répondre. Mme la Dauphine voyant à quel point il était interdit :

— Regardez-le, regardez-le, dit-elle à Mme de Clèves, et jugez si cette aventure n'est pas la sienne.

Cependant M. de Nemours, revenant de son premier trouble, et voyant l'importance de sortir d'un pas si dangereux, se rendît maître tout d'un coup de son esprit et de son visage :

— J'avoue, madame, dit-il, que l'on ne peut être plus surpris et plus affligé que je le suis de l'infidélité que m'a faite le vidame de Chartres, en racontant l'aventure d'un de mes amis que je lui avais confiée. Je pourrai m'en venger, continua-t-il en souriant avec un air tranquille qui ôta quasi à Mme la Dauphine les soupçons qu'elle venait d'avoir. Il m'a confié des choses qui ne sont pas d'une médiocre importance; mais je ne sais, madame, poursuivit-il, pourquoi vous me faites l'honneur de me mêler à cette aventure. Le vidame ne peut pas dire qu'elle me regarde, puisque je lui ai dit le contraire. La qualité d'un homme amoureux me peut convenir; mais, pour celle d'un homme aimé, je ne crois pas, madame, que vous puissiez me la donner.

Ce prince fut bien aise de dire quelque chose à Mme la Dauphine, qui eût du rapport à ce qu'il lui avait fait paraître en d'autres temps, afin de lui détourner l'esprit des pensées qu'elle a[ur]ait pu avoir. Elle crut bien aussi entendre ce qu'il disait; mais, sans y répondre, elle continua à lui faire la guerre de son embarras.

— J'ai été troublé, madame, lui répondit-il, pour l'intérêt de mon ami et par les justes reproches qu'il me pourrait faire d'avoir redit une chose qui lui est plus chère que la vie. Il ne me l'a néanmoins confiée qu'à demi, et il ne m'a pas nommé la personne qu'il aime. Je sais seulement qu'il est l'homme du monde le plus amoureux et le plus à plaindre.

— Le trouvez-vous si à plaindre, répliqua Mme la Dauphine, puisqu'il est aimé ?

— Croyez-vous qu'il le soit, madame, reprit-il, et qu'une personne qui aurait une véritable passion, pût la découvrir à son mari ? Cette personne ne connaît pas sans doute l'amour, et elle a pris pour une légère reconnaissance de l'attachement que l'on a pour elle. Mon ami ne se peut flatter d'aucune espérance; mais, tout malheureux qu'il est, il se trouve heureux d'avoir du moins donné la peur de l'aimer et il ne changerait pas son état contre celui du plus heureux amant du monde.

— Votre ami a une passion bien aisée à satisfaire, dit Mme la Dauphine, et je commence à croire que ce n'est pas de vous dont vous parlez. Il ne s'en faut guère, continua-t-elle, que je ne sois de l'avis de Mme de Clèves, qui soutient que cette aventure ne peut être véritable.

— Je ne crois pas en effet qu'elle le puisse être, reprit Mme de Clèves qui n'avait point encore parlé; et quand il serait possible qu'elle le fût, par où l'aurait-on pu savoir ? Il n'y a pas d'apparence qu'une femme, capable d'une chose si extraordinaire, eût la faiblesse de la raconter; apparemment son mari ne l'aurait pas r[a]contée non plus, ou ce serait un mari bien indigne du procédé que l'on aurait eu avec lui.

M. de Nemours, qui vit les soupçons de Mme de Clèves sur son mari, fut bien aise de les lui confirmer. Il savait que c'était le plus redoutable rival qu'il eût à détruire.

— La jalousie, répondit-il, et la curiosité d'en savoir peut-être davantage que l'on ne lui en a dit, peuvent faire faire bien des imprudences à un mari.

Mme de Clèves était à la dernière épreuve de sa force et de son courage et, ne pouvant plus soutenir la conversation, elle allait dire qu'elle se trouvait mal, lorsque, par bonheur pour elle, la duchesse de Valentinois entra, qui dit à Mme la Dauphine que le roi allait arriver. Cette reine passa dans son cabinet pour s'habiller. M. de Nemours s'approcha de Mme de Clèves, comme elle la voulait suivre.

— Je donnerais ma vie, madame, lui dit-il, pour vous parler un moment; mais de tout ce que j'aurais d'important à vous dire, rien ne me le paraît davantage que de vous supplier de croire que si j'ai dit quelque chose où Mme la Dauphine puisse prendre part, je l'ai fait par des raisons qui ne la regardent pas.

Mme de Clèves ne fit pas semblant d'entendre M. de Nemours; elle le quitta sans le regarder, et se mit à suivre le roi qui venait d'entrer. Comme il y avait beaucoup de monde, elle s'embarrassa dans sa robe et fit un faux pas : elle se servit de ce prétexte pour sortir d'un lieu où elle n'avait pas la force de demeurer et, feignant de ne se pouvoir soutenir, elle s'en alla chez elle.

M. de Clèves vint au Louvre et fut étonné de n'y pas trouver sa femme : on lui dit l'accident qui lui était arrivé. Il s'en retourna à l'heure même pour apprendre de ses nouvelles; il la trouva au lit et il sut que son mal n'était pas considérable. Quand il eut été quelque temps auprès d'elle, il s'aperçut qu'elle était dans une tristesse si excessive qu'il en fut surpris.

— Qu'avez-vous, madame? lui dit-il. Il me paraît que vous avez quelque autre douleur que celle dont vous vous plaignez ?

— J'ai la plus sensible affliction que je pouvais jamais avoir, répondit-elle; quel usage avez-vous fait de la confiance extraordinaire ou, pour mieux dire, folle que j'ai eue en vous ? Ne méritais-je pas le secret, et quand je ne l'aurais pas mérité, votre propre intérêt ne vous y engageait-il pas ? Fallait-il que la curiosité de savoir un nom que je ne dois pas vous dire, vous obligeât à vous confier à quelqu'un pour tâcher de le découvrir ? Ce ne peut être que cette seule curiosité qui vous ait fait faire une si cruelle imprudence, les suites en sont aussi fâcheuses qu'elles pouvaient l'être. Cette aventure est sue, et on me la vient de conter, ne sachant pas que j'y eusse le principal intérêt.

— Que me dites-vous, madame? lui répondit-il. Vous m'accusez d'avoir conté ce qui s'est passé entre vous et moi, et vous m'apprenez que la chose est sue? Je ne me justifie pas de l'avoir redite; vous ne le sauriez croire, et il faut sans doute que vous ayez pris pour vous ce que l'on vous a dit de quelque autre.

— Ah! monsieur, reprit-elle, il n'y a pas dans le monde une autre aventure pareille à la mienne; il n'y a point une autre femme capable de la même chose. Le hasard ne peut l'avoir fait inventer; on ne l'a jamais imaginée et cette pensée n'est jamais tombée dans un autre esprit que le mien. Mme la Dauphine vient de me conter toute cette aventure; elle l'a sue par le vidame de Chartres qui la sait de M. de Nemours.

— M. de Nemours! s'écria M. de Clèves avec une action qui marquait du transport et du désespoir. Quoi! M. de Nemours sait que vous l'aimez, et que je le sais?

— Vous voulez toujours choisir M. de Nemours plutôt qu'un autre, répliqua-t-elle : je vous ai dit que je ne vous répondrais jamais sur vos soupçons. J'ignore si M. de Nemours sait la part que j'ai dans cette aventure et celle que vous lui avez donnée; mais il l'a contée au vidame de Chartres et lui a dit qu'il la savait d'un de ses amis, qui ne lui avait pas nommé la personne. Il faut que cet ami de M. de Nemours soit des vôtres et que vous vous soyez fié à lui pour tâcher de vous éclaircir.

— A-t-on un ami au monde à qui on voulût faire une telle confidence, reprit M. de Clèves, et voudrait-on éclaircir ses soupçons au prix d'apprendre à quelqu'un ce que l'on souhaiterait de se cacher à soi-même? Songez plutôt, madame, à qui vous avez parlé. Il est plus vraisemblable que ce soit par vous que par moi que ce secret soit échappé. Vous n'avez pu soutenir toute seule l'embarras où vous vous êtes trouvée et vous avez cherché le soulagement de vous plaindre avec quelque confidente qui vous a trahie.

— N'achevez point de m'accabler, s'écria-t-elle, et n'ayez point la dureté de m'accuser d'une faute que vous avez faite. Pouvez-vous m'en soupçonner, et puisque j'ai été capable de vous parler, suis-je capable de parler à quelque autre?

L'aveu que Mme de Clèves avait fait à son mari était une si grande marque de sa sincérité et elle niait si for-

tement de s'être confiée à personne que M. de Clèves
ne savait que penser. D'un autre côté, il était assuré de
n'avoir rien redit; c'était une chose que l'on ne pouvait
avoir devinée, elle était sue; ainsi il fallait que ce fût par
l'un des deux, mais ce qui lui causait une douleur violente était de savoir que ce secret était entre les mains
de quelqu'un et qu'apparemment il serait bientôt divul-
gué.

Mme de Clèves pensait à peu près les mêmes choses,
elle trouvait également impossible que son mari eût
parlé et qu'il n'eût pas parlé. Ce qu'avait dit M. de
Nemours que la curiosité pouvait faire faire des imprudences à un mari, lui paraissait se rapporter si juste à
l'état de M. de Clèves qu'elle ne pouvait croire que ce
fût une chose que le hasard eût fait dire; et cette vraisemblance la déterminait à croire que M. de Clèves avait
abusé de la confiance qu'elle avait en lui. Ils étaient si
occupés l'un et l'autre de leurs pensées qu'ils furent longtemps sans parler, et ils ne sortirent de ce silence que
pour redire les mêmes choses qu'ils avaient déjà dites
plusieurs fois, et demeurèrent le cœur et l'esprit plus
éloignés et plus altérés qu'ils ne l'avaient encore eu.

Il est aisé de s'imaginer en quel état ils passèrent la
nuit. M. de Clèves avait épuisé toute sa constance à soutenir le malheur de voir une femme qu'il adorait, touchée de passion pour un autre. Il ne lui restait plus de
courage; il croyait même n'en devoir pas trouver dans
une chose où sa gloire et son honneur étaient si vivement
blessés. Il ne savait plus que penser de sa femme; il ne
voyait plus quelle conduite il lui devait faire prendre, ni
comment il se devait conduire lui-même; et il ne trouvait de tous côtés que des précipices et des abîmes. Enfin,
après une agitation et une incertitude très longue, voyant
qu'il devait bientôt s'en aller en Espagne, il prit le parti
de ne rien faire qui pût augmenter les soupçons ou la
connaissance de son malheureux état. Il alla trouver
Mme de Clèves et lui dit qu'il ne s'agissait pas de démêler entre eux qui avait manqué au secret; mais qu'il s'agissait de faire voir que l'histoire que l'on avait contée
était une fable où elle n'avait aucune part; qu'il dépen-
dait d'elle de le persuader à M. de Nemours et aux autres;
qu'elle n'avait qu'à agir avec lui avec la sévérité et la
froideur qu'elle devait avoir pour un homme qui lui
témoignait de l'amour; que, par ce procédé, elle lui ôte-
rait aisément l'opinion qu'elle eût de l'inclination pour

lui; qu'ainsi il ne fallait point s'affliger de tout ce qu'il
aurait pu penser, parce que si, dans la suite, elle ne faisait paraître aucune faiblesse, toutes ses pensées se détrui-
raient aisément, et que surtout il fallait qu'elle allât au
Louvre et aux assemblées comme à l'ordinaire.

Après ces paroles, M. de Clèves quitta sa femme sans
attendre sa réponse. Elle trouva beaucoup de raison dans
tout ce qu'il lui dit, et la colère où elle était contre M. de
Nemours lui fit croire qu'elle trouverait aussi beaucoup
de facilité à l'exécuter; mais il lui parut difficile de se
trouver à toutes les cérémonies du mariage et d'y paraître
avec un visage tranquille et un esprit libre; néanmoins,
comme elle devait porter la robe de Mme la Dauphine
et que c'était une chose où elle avait été préférée à plusieurs autres princesses, il n'y avait pas moyen d'y
renoncer sans faire beaucoup de bruit et sans en faire
chercher des raisons. Elle se résolut donc de faire un
effort sur elle-même; mais elle prit le reste du jour pour
s'y préparer et pour s'abandonner à tous les sentiments
dont elle était agitée. Elle s'enferma seule dans son cabinet. De tous ses maux, celui qui se présentait à elle avec
le plus de violence, était d'avoir sujet de se plaindre de
M. de Nemours et de ne trouver aucun moyen de le
justifier. Elle ne pouvait douter qu'il n'eût conté cette
aventure au vidame de Chartres; il l'avait avoué, et
elle ne pouvait douter aussi, par la manière dont il avait
parlé, qu'il ne sût que l'aventure la regardait. Comment
excuser une si grande imprudence, et qu'était devenue
l'extrême discrétion de ce prince, dont elle avait été si
touchée ?

Il a été discret, disait-elle, tant qu'il a cru être malheureux; mais une pensée d'un bonheur, même incertain, a fini sa discrétion. Il n'a pu s'imaginer qu'il était
aimé sans vouloir qu'on le sût. Il a dit tout ce qu'il pouvait dire; je n'ai pas avoué que c'était lui que j'aimais, il
l'a soupçonné et il a laissé voir ses soupçons. S'il eût
eu des certitudes, il en aurait usé de la même sorte. J'ai
eu tort de croire qu'il y eût un homme capable de cacher
ce qui flatte sa gloire. C'est pourtant pour cet homme,
que j'ai cru si différent du reste des hommes, que je me
trouve comme les autres femmes, étant si éloignée de
leur ressembler. J'ai perdu le cœur et l'estime d'un mari
qui devait faire ma félicité. Je serai bientôt regardée de
tout le monde comme une personne qui a une folle et
violente passion. Celui pour qui je l'ai ne l'ignore plus;

et c'est pour éviter ces malheurs que j'ai hasardé tout mon repos et même ma vie.

Ces tristes réflexions étaient suivies d'un torrent de larmes; mais quelque douleur dont elle se trouvât accablée, elle sentait bien qu'elle aurait eu la force de les supporter si elle avait été satisfaite de M. de Nemours.

Ce prince n'était pas dans un état plus tranquille. L'imprudence qu'il avait faite d'avoir parlé au vidame de Chartres et les cruelles suites de cette imprudence lui donnaient un déplaisir mortel. Il ne pouvait se représenter, sans être accablé, l'embarras, le trouble et l'affliction où il avait vu Mme de Clèves. Il était inconsolable de lui avoir dit des choses sur cette aventure qui, bien que galantes par elles-mêmes, lui paraissaient, dans ce moment, grossières et peu polies, puisqu'elles avaient fait entendre à Mme de Clèves qu'il n'ignorait pas qu'elle était cette femme qui avait une passion violente et qu'il était celui pour qui elle l'avait. Tout ce qu'il eût pu souhaiter, eût été une conversation avec elle; mais il trouvait qu'il la devait craindre plutôt que de la désirer.

Qu'aurais-je à lui dire ? s'écriait-il. Irais-je encore lui montrer ce que je ne lui ai déjà que trop fait connaître ? Lui ferai-je voir que je sais qu'elle m'aime, moi qui n'ai jamais seulement osé lui dire que je l'aimais ? Commencerai-je à lui parler ouvertement de ma passion, afin de lui paraître un homme devenu hardi par des espérances ? Puis-je penser seulement à l'approcher et oserais-je lui donner l'embarras de soutenir ma vue ? Par où pourrais-je me justifier ? Je n'ai point d'excuse, je suis indigne d'être regardé de Mme de Clèves et je n'espère pas aussi qu'elle me regarde jamais. Je ne lui ai donné par ma faute de meilleurs moyens pour se défendre contre moi que tous ceux qu'elle cherchait et qu'elle eût peut-être cherchés inutilement. Je perds par mon imprudence le bonheur et la gloire d'être aimé de la plus aimable et de la plus estimable personne du monde; mais, si j'avais perdu ce bonheur sans qu'elle en eût souffert et sans lui avoir donné une douleur mortelle, ce me serait une consolation; et je sens plus dans ce moment le mal que je lui ai fait que celui que je me suis fait auprès d'elle.

M. de Nemours fut longtemps à s'affliger et à penser les mêmes choses. L'envie de parler à Mme de Clèves lui venait toujours dans l'esprit. Il songea à en trouver les moyens, il pensa à lui écrire; mais enfin il trouva qu'après la faute qu'il avait faite, et de l'humeur dont

elle était, le mieux qu'il pût faire était de lui témoigner
un profond respect par son affliction et par son silence,
de lui faire voir même qu'il n'osait se présenter devant
elle et d'attendre ce que le temps, le hasard et l'inclination qu'elle avait pour lui, pourraient faire en sa faveur.
Il résolut aussi de ne point faire de reproches au vidame
de Chartres de l'infidélité qu'il lui avait faite, de peur de
fortifier ses soupçons.

Les fiançailles de Madame, qui se faisaient le lendemain, et le mariage qui se faisait le jour suivant, occupaient tellement toute la cour que Mme de Clèves et
M. de Nemours cachèrent aisément au public leur
tristesse et leur trouble. Mme la Dauphine ne parla
même qu'en passant à Mme de Clèves de la conversation
qu'elles avaient eue avec M. de Nemours, et [M.] de
Clèves affecta de ne plus parler à sa femme de tout
ce qui s'était passé, de sorte qu'elle ne se trouva pas dans
un aussi grand embarras qu'elle l'avait imaginé.

Les fiançailles se firent au Louvre et, après le festin
et le bal, toute la maison royale alla coucher à l'évêché
comme c'était la coutume. Le matin, le duc d'Albe, qui
n'était jamais vêtu que fort simplement, mit un habit
de drap d'or mêlé de couleur de feu, de jaune et de noir,
tout couvert de pierreries, et il avait une couronne
fermée sur la tête. Le prince d'Orange, habillé aussi
magnifiquement avec ses livrées, et tous les Espagnols
suivis des leurs, vinrent prendre le duc d'Albe à l'hôtel
de Villeroi où il était logé, et partirent, marchant quatre
à quatre, pour venir à l'évêché. Sitôt qu'il fut arrivé,
on alla par ordre à l'église : le roi menait Madame qui
avait aussi une couronne fermée et sa robe portée par
Mlles de Montpensier et de Longueville. La reine mar-
chait ensuite, mais sans couronne. Après elle, venaient la
reine dauphine, Madame, sœur du roi, Mme de Lorraine
et la reine de Navarre, leurs robes portées par des princesses. Les reines et les princesses avaient toutes leurs filles
magnifiquement habillées des mêmes couleurs qu'elles
étaient vêtues : en sorte que l'on connaissait à qui étaient
les filles par la couleur de leurs habits. On monta sur
l'échafaud qui était préparé dans l'église et l'on fit la
cérémonie des mariages. On retourna ensuite dîner à
l'évêché et, sur les cinq heures, on en partit pour aller
au palais, où se faisait le festin et où le Parlement, les
cours souveraines et la maison de ville étaient priés
d'assister. Le roi, les reines, les princes et princesses

mangèrent sur la table de marbre dans la grande salle du palais, le duc d'Albe assis auprès de la nouvelle reine d'Espagne. Au-dessous des degrés de la table de marbre et à la main droite du roi, était une table pour les ambassadeurs, les archevêques et les chevaliers de l'ordre et, de l'autre côté, une table pour MM. du Parlement.

Le duc de Guise, vêtu d'une robe de drap d'or frisé, servait le roi de grand-maître, M. le prince de Condé, de panetier, et le duc de Nemours, d'échanson. Après que les tables furent levées, le bal commença; il fut interrompu par des ballets et par des machines extraordinaires. On le reprit ensuite; et enfin, après minuit, le roi et toute la cour s'en retournèrent au Louvre. Quelque triste que fût Mme de Clèves, elle ne laissa pas de paraître aux yeux de tout le monde, et surtout aux yeux de M. de Nemours, d'une beauté incomparable. Il n'osa lui parler, quoique l'embarras de cette cérémonie lui en donnât plusieurs moyens; mais il lui fit voir tant de tristesse et une crainte si respectueuse de l'approcher qu'elle ne le trouva plus si coupable, quoiqu'il ne lui eût rien dit pour se justifier. Il eut la même conduite les jours suivants et cette conduite fit aussi le même effet sur le cœur de Mme de Clèves.

Enfin, le jour du tournoi arriva. Les reines se rendirent dans les galeries et sur les échafauds qui leur avaient été destinés. Les quatre tenants parurent au bout de la lice, avec une quantité de chevaux et de livrées qui faisaient le plus magnifique spectacle qui eût jamais paru en France.

Le roi n'avait point d'autres couleurs que le blanc et le noir, qu'il portait toujours à cause de Mme de Valentinois qui était veuve. M. de Ferrare et toute sa suite avaient du jaune et du rouge; M. de Guise parut avec de l'incarnat et du blanc : on ne savait d'abord par quelle raison il avait ces couleurs; mais on se souvint que c'étaient celles d'une belle personne qu'il avait aimée pendant qu'elle était fille, et qu'il aimait encore, quoiqu'il n'osât plus le lui faire paraître. M. de Nemours avait du jaune et du noir; on en chercha inutilement la raison. Mme de Clèves n'eut pas de peine à la deviner : elle se souvint d'avoir dit devant lui qu'elle aimait le jaune, et qu'elle était fâchée d'être blonde, parce qu'elle n'en pouvait mettre. Ce prince crut pouvoir paraître avec cette couleur, sans indiscrétion, puisque, Mme de

Clèves n'en mettant point, on ne pouvait soupçonner que ce fût la sienne.

Jamais on n'a fait voir tant d'adresse que les quatre tenants en firent paraître. Quoique le roi fût le meilleur homme de cheval de son royaume, on ne savait à qui donner l'avantage. M. de Nemours avait un agrément dans toutes ses actions qui pouvait faire pencher en sa faveur des personnes moins intéressées que Mme de Clèves. Sitôt qu'elle le vit paraître au bout de la lice, elle sentit une émotion extraordinaire et, à toutes les courses de ce prince, elle avait de la peine à cacher sa joie, lorsqu'il avait heureusement fourni sa carrière.

Sur le soir, comme tout était presque fini et que l'on était près de se retirer, le malheur de l'Etat fit que le roi voulut encore rompre une lance. Il manda au comte de Montgomery, qui était extrêmement adroit, qu'il se mît sur la lice. Le comte supplia le roi de l'en dispenser et allégua toutes les excuses dont il put s'aviser, mais le roi, quasi en colère, lui fit dire qu'il le voulait absolument. La reine manda au roi qu'elle le conjurait de ne plus courir; qu'il avait si bien fait qu'il devait être content et qu'elle le suppliait de revenir auprès d'elle. Il répondit que c'était pour l'amour d'elle qu'il allait courir encore et entra dans la barrière. Elle lui renvoya M. de Savoie pour le prier une seconde fois de revenir; mais tout fut inutile. Il courut; les lances se brisèrent, et un éclat de celle du comte de Montgomery lui donna dans l'œil et y demeura. Ce prince tomba du coup, ses écuyers et M. de Montmorency, qui était un des maréchaux du camp, coururent à lui. Ils furent étonnés de le voir si blessé; mais le roi ne s'étonna point. Il dit que c'était peu de chose, et qu'il pardonnait au comte de Montgomery. On peut juger quel trouble et quelle affliction apporta un accident si funeste dans une journée destinée à la joie. Sitôt que l'on eut porté le roi dans son lit, et que les chirurgiens eurent visité sa plaie, ils la trouvèrent très considérable. Monsieur le Connétable se souvint, dans ce moment, de la prédiction que l'on avait faite au roi, qu'il serait tué dans un combat singulier; et il ne douta point que la prédiction ne fût accomplie.

Le roi d'Espagne qui était lors à Bruxelles, étant averti de cet accident, envoya son médecin, qui était un homme d'une grande réputation; mais il jugea le roi sans espérance.

Une cour, aussi partagée et aussi remplie d'intérêts opposés, n'était pas dans une médiocre agitation à la veille d'un si grand événement; néanmoins, tous les mouvements étaient cachés et l'on ne paraissait occupé que de l'unique inquiétude de la santé du roi. Les reines, les princes et les princesses ne sortaient presque point de son antichambre.

Mme de Clèves sachant qu'elle était obligée d'y être, qu'elle y verrait M. de Nemours, qu'elle ne pourrait cacher à son mari l'embarras que lui causait cette vue, connaissant aussi que la seule présence de ce prince le justifiait à ses yeux et détruisait toutes ses résolutions, prit le parti de feindre d'être malade. La cour était trop occupée pour avoir de l'attention à sa conduite et pour démêler si son mal était faux ou véritable. Son mari seul pouvait en connaître la vérité; mais elle n'était pas fâchée qu'il la connût. Ainsi elle demeura chez elle, peu occupée du grand changement qui se préparait; et, remplie de ses propres pensées, elle avait toute la liberté de s'y abandonner. Tout le monde était chez le roi. M. de Clèves venait à de certaines heures lui en dire des nouvelles. Il conservait avec elle le même procédé qu'il avait toujours eu, hors que, quand ils étaient seuls, il y avait quelque chose d'un peu plus froid et de moins libre. Il ne lui avait point reparlé de tout ce qui s'était passé; et elle n'avait pas eu la force et n'avait pas même jugé à propos de reprendre cette conversation.

M. de Nemours, qui s'était attendu à trouver quelques moments à parler à Mme de Clèves, fut bien surpris et bien affligé de n'avoir pas seulement le plaisir de la voir. Le mal du roi se trouva si considérable que, le septième jour, il fut désespéré des médecins. Il reçut la certitude de sa mort avec une fermeté extraordinaire et d'autant plus admirable qu'il perdait la vie par un accident si malheureux, qu'il mourait à la fleur de son âge, heureux, adoré de ses peuples et aimé d'une maîtresse qu'il aimait éperdument. La veille de sa mort, il fit faire le mariage de Madame, sa sœur, avec M. de Savoie, sans cérémonie. L'on peut juger en quel état était la duchesse de Valentinois. La reine ne permit point qu'elle vît le le roi et lui envoya demander les cachets de ce prince et les pierreries de la couronne qu'elle avait en garde. Cette duchesse s'enquit si le roi était mort; et comme on lui eut répondu que non :

— Je n'ai donc point encore de maître, répondit-

elle, et personne ne peut m'obliger à rendre ce que sa
confiance m'a mis entre les mains.

Sitôt qu'il fut expiré au château des Tournelles,
le duc de Ferrare, le duc de Guise et le duc de Nemours
conduisirent au Louvre la reine mère, le roi et la reine
sa femme. M. de Nemours menait la reine mère. Comme
ils commençaient à marcher, elle se recula de quelques
pas et dit à la reine, sa belle-fille, que c'était à elle à passer
la première; mais il fut aisé de voir qu'il y avait plus
d'aigreur que de bienséance dans ce compliment.

TOME QUATRIÈME

Le cardinal de Lorraine s'était rendu maître absolu
de l'esprit de la reine mère; le vidame de Chartres
n'avait plus aucune part dans ses bonnes grâces et
l'amour qu'il avait pour Mme de Martigues et pour la
liberté l'avait même empêché de sentir cette perte autant
qu'elle méritait d'être sentie. Ce cardinal, pendant les
dix jours de la maladie du roi, avait eu le loisir de for-
mer ses desseins et de faire prendre à la reine des résolutions conformes à ce qu'il avait projeté; de sorte
que, sitôt que le roi fut mort, la reine ordonna au connétable de demeurer aux Tournelles auprès du corps du
feu roi, pour faire les cérémonies ordinaires. Cette
commission l'éloignait de tout et lui ôtait la liberté
d'agir. Il envoya un courrier au roi de Navarre pour le
faire venir en diligence, afin de s'opposer ensemble à la
grande élévation où il voyait que MM. de Guise allaient
parvenir. On donna le commandement des armées au
duc de Guise et les finances au cardinal de Lorraine. La
duchesse de Valentinois fut chassée de la cour; on fit
revenir le cardinal de Tournon, ennemi déclaré du
connétable, et le chancelier Olivier, ennemi déclaré de
la duchesse de Valentinois. Enfin, la cour changea
entièrement de face. Le duc de Guise prit le même rang
que les princes du sang à porter le manteau du roi aux
cérémonies des funérailles; lui et ses frères furent
entièrement les maîtres, non seulement par le crédit du
cardinal sur l'esprit de la reine, mais parce que cette
princesse crut qu'elle pourrait les éloigner s'ils lui donnaient de l'ombrage et qu'elle ne pourrait éloigner le
connétable, qui était appuyé des princes du sang.

Lorsque les cérémonies du deuil furent achevées,
le connétable vint au Louvre et fut reçu du roi avec

beaucoup de froideur. Il voulut lui parler en particulier; mais le roi appela MM. de Guise et lui dit,
devant eux, qu'il lui conseillait de se reposer; que les
finances et le commandement des armées étaient donnés
et que, lorsqu'il aurait besoin de ses conseils, il l'ap-
pellerait auprès de sa personne. Il fut reçu de la reine
mère encore plus froidement que du roi, et elle lui fit
même des reproches de ce qu'il avait dit au feu roi que
ses enfants ne lui ressemblaient point. Le roi de Navarre
arriva et ne fut pas mieux reçu. Le prince de Condé, moins
endurant que son frère, se plaignit hautement; ses
plaintes furent inutiles, on l'éloigna de la cour sous le
prétexte de l'envoyer en Flandre signer la ratification
de la paix. On fit voir au roi de Navarre une fausse lettre
du roi d'Espagne qui l'accusait de faire des entreprises
sur ses places; on lui fit craindre pour ses terres; enfin,
on lui inspira le dessein de s'en aller en Béarn. La reine
lui en fournit un moyen en lui donnant la conduite de
Mme Elisabeth et l'obligea même à partir devant cette
princesse; et ainsi il ne demeura personne à la cour qui
pût balancer le pouvoir de la maison de Guise.

Quoique ce fût une chose fâcheuse pour M. de Clèves
de ne pas conduire Mme Elisabeth, néanmoins il ne put
s'en plaindre par la grandeur de celui qu'on lui préfé-
rait; mais il regrettait moins cet emploi par l'honneur qu'il
en eût reçu que parce que c'était une chose qui éloignait sa femme de la cour sans qu'il parût qu'il eût
dessein de l'en éloigner.

Peu de jours après la mort du roi, on résolut d'aller
à Reims pour le sacre. Sitôt qu'on parla de ce voyage,
Mme de Clèves, qui avait toujours demeuré chez elle,
feignant d'être malade, pria son mari de trouver bon
qu'elle ne suivît point la cour et qu'elle s'en allât à Coulommiers prendre l'air et songer à sa santé. Il lui répondit qu'il ne voulait point pénétrer si c'était la raison de sa
santé qui l'obligeait à ne pas faire le voyage, mais qu'il
consentait qu'elle ne le fît point. Il n'eut pas de peine
à consentir à une chose qu'il avait déjà résolue : quelque
bonne opinion qu'il eût de la vertu de sa femme, il
voyait bien que la prudence ne voulait pas qu'il l'expo-
sât plus longtemps à la vue d'un homme qu'elle aimait.

M. de Nemours sut bientôt que Mme de Clèves ne
devait pas suivre la cour; il ne put se résoudre à partir
sans la voir et, la veille du départ, il alla chez elle aussi
tard que la bienséance le pouvait permettre, afin de la

trouver seule. La fortune favorisa son intention. Comme il entra dans la cour, il trouva Mme de Nevers et Mme de Martigues qui en sortaient et qui lui dirent qu'elles l'avaient laissée seule. Il monta avec une agitation et un trouble qui ne se peuvent comparer qu'à ceux qu'eut Mme de Clèves, quand on lui dit que M. de Nemours venait pour la voir. La crainte qu'elle eut qu'il ne lui parlât de sa passion, l'appréhension de lui répondre trop favorablement, l'inquiétude que cette visite pouvait donner à son mari, la peine de lui en rendre compte ou de lui cacher toutes ces choses, se présentèrent en un moment à son esprit et lui firent un si grand embarras qu'elle prit la résolution d'éviter la chose du monde qu'elle souhaitait peut-être le plus. Elle envoya une de ses femmes à M. de Nemours, qui était dans son antichambre, pour lui dire qu'elle venait de se trouver mal et qu'elle était bien fâchée de ne pouvoir recevoir l'honneur qu'il lui voulait faire. Quelle douleur pour ce prince de ne pas voir Mme de Clèves et de ne la pas voir parce qu'elle ne voulait pas qu'il la vît! Il s'en allait le lendemain; il n'avait plus rien à espérer du hasard. Il ne lui avait rien dit depuis cette conversation de chez Mme la Dauphine, et il avait lieu de croire que la faute d'avoir parlé au vidame avait détruit toutes ses espérances; enfin il s'en allait avec tout ce qui peut aigrir une vive douleur.

Sitôt que Mme de Clèves fut un peu remise du trouble que lui avait donné la pensée de la visite de ce prince, toutes les raisons qui la lui avaient fait refuser disparurent; elle trouva même qu'elle avait fait une faute et, si elle eût osé ou qu'il eût encore été assez à temps, elle l'aurait fait rappeler.

Mmes de Nevers et de Martigues, en sortant de chez elle, allèrent chez la reine dauphine; M. de Clèves y était. Cette princesse leur demanda d'où elles venaient; elles lui dirent qu'elles venaient de chez [Mme] de Clèves où elles avaient passé une partie de l'après-dînée avec beaucoup de monde et qu'elles n'y avaient laissé que M. de Nemours. Ces paroles, qu'elles croyaient si indifférentes, ne l'étaient pas pour M. de Clèves. Quoiqu'il dût bien s'imaginer que M. de Nemours pouvait trouver souvent des occasions de parler à sa femme, néanmoins la pensée qu'il était chez elle, qu'il y était seul et qu'il lui pouvait parler de son amour lui parut dans ce moment une chose si nouvelle et si insupportable que la jalousie

s'alluma dans son cœur avec plus de violence qu'elle
n'avait encore fait. Il lui fut impossible de demeurer chez
la reine; il s'en revint, ne sachant pas même pourquoi
il revenait et s'il avait dessein d'aller interrompre M. de
Nemours. Sitôt qu'il approcha de chez lui, il regarda
s'il ne verrait rien qui lui pût faire juger si ce prince
y était encore; il sentit du soulagement en voyant
qu'il n'y était plus et il trouva de la douceur à penser
qu'il ne pouvait y avoir demeuré longtemps. Il s'imagina
que ce n'était peut-être pas M. de Nemours, dont il
devait être jaloux et, quoiqu'il n'en doutât point, il
cherchait à en douter; mais tant de choses l'en auraient
persuadé qu'il ne demeurait pas longtemps dans cette
incertitude qu'il désirait. Il alla d'abord dans la chambre
de sa femme et, après lui avoir parlé quelque temps de
choses indifférentes, il ne put s'empêcher de lui demander
ce qu'elle avait fait et qui elle avait vu; elle lui en rendit
compte. Comme il vit qu'elle ne lui nommait point
M. de Nemours, il lui demanda, en tremblant, si c'était
tout ce qu'elle avait vu, afin de lui donner lieu de nommer
ce prince et de n'avoir pas la douleur qu'elle lui en fît
une finesse. Comme elle ne l'avait point vu, elle ne le
lui nomma point, et M. de Clèves reprenant la parole
avec un ton qui marquait son affliction :

— Et M. de Nemours, lui dit-il, ne l'avez-vous
point vu ou l'avez-vous oublié ?

— Je ne l'ai point vu, en effet, répondit-elle; je me
trouvais mal et j'ai envoyé une de mes femmes lui faire
des excuses.

— Vous ne vous trouviez donc mal que pour lui,
reprit M. de Clèves. Puisque vous avez vu tout le monde,
pourquoi des distinctions pour M. de Nemours ?
Pourquoi ne vous est-il pas comme un autre ? Pourquoi
faut-il que vous craigniez sa vue ? Pourquoi lui laissez-
vous voir que vous la craignez ? Pourquoi lui faites-
vous connaître que vous vous servez du pouvoir que sa
passion vous donne sur lui ? Oseriez-vous refuser de le
voir si vous ne saviez bien qu'il distingue vos rigueurs
de l'incivilité ? Mais pourquoi faut-il que vous ayez
des rigueurs pour lui ? D'une personne comme vous,
madame, tout est des faveurs hors l'indifférence.

— Je ne croyais pas, reprit Mme de Clèves, quelque
soupçon que vous ayez sur M. de Nemours, que vous
pussiez me faire des reproches de ne l'avoir pas vu.

— Je vous en fais pourtant, madame, répliqua-t-il,

et ils sont bien fondés. Pourquoi ne le pas voir s'il ne vous a rien dit ? Mais, madame, il vous a parlé; si son silence seul vous avait témoigné sa passion, elle n'aurait pas fait en vous une si grande impression. Vous n'avez pu me dire la vérité tout entière, vous m'en avez caché la plus grande partie; vous vous êtes repentie même du peu que vous m'avez avoué et vous n'avez pas eu la force de continuer. Je suis plus malheureux que je ne l'ai cru et je suis le plus malheureux de tous les hommes. Vous êtes ma femme, je vous aime comme ma maîtresse et je vous en vois aimer un autre. Cet autre est le plus aimable de la cour et il vous voit tous les jours, il sait que vous l'aimez. Eh! j'ai pu croire, s'écria-t-il, que vous surmonteriez la passion que vous avez pour lui. Il faut que j'aie perdu la raison pour avoir cru qu'il fût possible.

— Je ne sais, reprit tristement Mme de Clèves, si vous avez eu tort de juger favorablement d'un procédé aussi extraordinaire que le mien; mais je ne sais si je ne me suis trompée d'avoir cru que vous me feriez justice ?

— N'en doutez pas, madame, répliqua M. de Clèves, vous vous êtes trompée; vous avez attendu de moi des choses aussi impossibles que celles que j'attendais de vous. Comment pouviez-vous espérer que je conservasse de la raison ? Vous aviez donc oublié que je vous aimais éperdument et que j'étais votre mari ? L'un des deux peut porter aux extrémités : que ne peuvent point les deux ensemble ? Eh! que ne sont-ils point aussi, continua-t-il; je n'ai que des sentiments violents et incertains dont je ne suis pas le maître. Je ne me trouve plus digne de vous; vous ne me paraissez plus digne de moi. Je vous adore, je vous hais, je vous offense, je vous demande pardon; je vous admire, j'ai honte de vous admirer. Enfin il n'y a plus en moi ni de calme, ni de raison. Je ne sais comment j'ai pu vivre depuis que vous me parlâtes à Coulommiers et depuis le jour que vous apprîtes de Mme la Dauphine que l'on savait votre aventure. Je ne saurais démêler par où elle a été sue, ni ce qui se passa entre M. de Nemours et vous sur ce sujet; vous ne me l'expliquerez jamais et je ne vous demande point de me l'expliquer. Je vous demande seulement de vous souvenir que vous m'avez rendu le plus malheureux homme du monde.

M. de Clèves sortit de chez sa femme après ces paroles et partit le lendemain sans la voir; mais il lui écrivit une

lettre pleine d'affliction, d'honnêteté et de douceur.
Elle y fit une réponse si touchante et si remplie d'assurances de sa conduite passée et de celle qu'elle aurait à
l'avenir que, comme ses assurances étaient fondées sur la
vérité et que c'était[ent] en effet ses sentiments, cette lettre
fit de l'impression sur M. de Clèves et lui donna quelque
calme; joint que M. de Nemours, allant trouver le roi
aussi bien que lui, il avait le repos de savoir qu'il ne serait
pas au même lieu que Mme de Clèves. Toutes les fois
que cette princesse parlait à son mari, la passion qu'il
lui témoignait, l'honnêteté de son procédé, l'amitié
qu'elle avait pour lui et ce qu'elle lui devait, faisaient
des impressions dans son cœur qui affaiblissaient l'idée
de M. de Nemours; mais ce n'était que pour quelque
temps; et cette idée revenait bientôt plus vive et plus
présente qu'auparavant.

Les premiers jours du départ de ce prince, elle ne
sentit quasi pas son absence; ensuite elle lui parut
cruelle. Depuis qu'elle l'aimait, il ne s'était point passé
de jour qu'elle n'eût craint ou espéré de le rencontrer et
elle trouva une grande peine à penser qu'il n'était plus
au pouvoir du hasard de faire qu'elle le rencontrât.

Elle s'en alla à Coulommiers; et, en y allant, elle eut
soin d'y faire porter de grands tableaux qu'elle avait
fait copier sur des originaux qu'avait fait faire Mme de
Valentinois pour sa belle maison d'Anet. Toutes les
actions remarquables, qui s'étaient passées du règne du
roi, étaient dans ces tableaux. Il y avait entre autres
le siège de Metz, et tous ceux qui s'y étaient distingués
étaient peints fort ressemblants. M. de Nemours était
de ce nombre et c'était peut-être ce qui avait donné
envie à Mme de Clèves d'avoir ces tableaux.

Mme de Martigues, qui n'avait pu partir avec la cour,
lui promit d'aller passer quelques jours à Coulommiers.
La faveur de la reine qu'elles partageaient ne leur avait
point donné d'envie, ni d'éloignement l'une de l'autre;
elles étaient amies sans néanmoins se confier leurs sentiments. Mme de Clèves savait que Mme de Martigues
aimait le vidame; mais Mme de Martigues ne savait pas
que Mme de Clèves aimât M. de Nemours, ni qu'elle en
fût aimée. La qualité de nièce du vidame rendait Mme de
Clèves plus chère à Mme de Martigues; et Mme de Clèves
l'aimait aussi comme une personne qui avait une passion
aussi bien qu'elle et qui l'avait pour l'ami intime de son
amant.

Mme de Martigues vint à Coulommiers, comme elle l'avait promis à Mme de Clèves; elle la trouva dans une vie fort solitaire. Cette princesse avait même cherché le moyen d'être dans une solitude entière et de passer les soirs dans les jardins sans être accompagnée de ses domestiques. Elle venait dans ce pavillon où M. de Nemours l'avait écoutée; elle entrait dans le cabinet qui était ouvert sur le jardin. Ses femmes et ses domestiques demeuraient dans l'autre cabinet, ou sous le pavillon, et ne venaient point à elle qu'elle ne les appelât. Mme de Martigues n'avait jamais vu Coulommiers; elle fut surprise de toutes les beautés qu'elle y trouva et surtout de l'agrément de ce pavillon. Mme de Clèves et elle y passaient tous les soirs. La liberté de se trouver seules, la nuit, dans le plus beau lieu du monde, ne laissait pas finir [l]a conversation entre deux jeunes personnes, qui avaient des passions violentes dans le cœur; et, quoiqu'elles ne s'en fissent point de confidence, elles trouvaient un grand plaisir à se parler. Mme de Martigues aurait eu de la peine à quitter Coulommiers, si en le quittant elle n'eût dû aller dans un lieu où était le vidame. Elle partit pour aller à Chambord, où la cour était alors.

Le sacre avait été fait à Reims par le cardinal de Lorraine, et l'on devait passer le reste de l'été dans le château de Chambord, qui était nouvellement bâti. La reine témoigna une grande joie de revoir Mme de Martigues; et, après lui en avoir donné plusieurs marques, elle lui demanda des nouvelles de Mme de Clèves et de ce qu'elle faisait à la campagne. M. de Nemours et M. de Clèves étaient alors chez cette reine. Mme de Martigues, qui avait trouvé Coulommiers admirable, en conta toutes les beautés, et elle s'étendit extrêmement sur la description de ce pavillon de la forêt et sur le plaisir qu'avait Mme de Clèves de s'y promener seule une partie de la nuit. M. de Nemours, qui connaissait assez le lieu pour entendre ce qu'en disait Mme de Martigues, pensa qu'il n'était pas impossible qu'il y pût voir Mme de Clèves sans être vu que d'elle. Il fit quelques questions à Mme de Martigues pour s'en éclaircir encore; et M. de Clèves, qui l'avait toujours regardé pendant que Mme de Martigues avait parlé, crut voir dans ce moment ce qui lui passait dans l'esprit. Les questions que fit ce prince le confirmèrent encore dans cette pensée; en sorte qu'il ne douta point qu'il n'eût dessein d'aller voir sa femme. Il ne se trompait pas dans ses soupçons. Ce dessein entra si fortement dans l'esprit de M. de Nemours qu'après avoir passé la nuit à songer aux moyens de l'exécuter, dès le lendemain matin, il demanda congé au roi pour aller à Paris, sur quelque prétexte qu'il inventa.

M. de Clèves ne douta point du sujet de ce voyage; mais il résolut de s'éclaircir de la conduite de sa femme et de ne pas demeurer dans une cruelle incertitude. Il eut envie de partir en même temps que M. de Nemours et de venir lui-même caché découvrir quel succès aurait ce voyage; mais, craignant que son départ ne parût extra-ordinaire, et que M. de Nemours, en étant averti, ne prît d'autres mesures, il résolut de se fier à un gentilhomme qui était à lui, dont il connaissait la fidélité et l'esprit. Il lui conta dans quel embarras il se trouvait. Il lui dit quelle avait été jusqu'alors la vertu de Mme de Clèves et lui ordonna de partir sur les pas de M. de Nemours, de l'observer exactement, de voir s'il n'irait point à Coulom-miers et s'il n'entrerait point la nuit dans le jardin.

Le gentilhomme, qui était très capable d'une telle commission, s'en acquitta avec toute l'exactitude imaginable. Il suivit M. de Nemours jusqu'à un village, à une demi-lieue de Coulommiers, où ce prince s'arrêta, et le gentilhomme devina aisément que c'était pour y attendre la nuit. Il ne crut pas à propos de l'y attendre aussi; il passa le village et alla dans la forêt, à l'endroit par où il jugeait que M. de Nemours pouvait passer; il ne se trompa point dans tout ce qu'il avait pensé. Sitôt que la nuit fut venue, il entendit marcher, et quoiqu'il fît obscur, il reconnut aisément M. de Nemours. Il le vit faire le tour du jardin, comme pour écouter s'il n'y entendrait personne et pour choisir le lieu par où il pourrait passer le plus aisément. Les palissades étaient fort hautes, et il y en avait encore derrière, pour empê-cher qu'on ne pût entrer; en sorte qu'il était assez diffi-cile de se faire passage. M. de Nemours en vint à bout néanmoins; sitôt qu'il fut dans ce jardin, il n'eut pas de peine à démêler où était Mme de Clèves. Il vit beaucoup de lumières dans le cabinet; toutes les fenêtres en étaient ouvertes et, en se glissant le long des palissades, il s'en approcha avec un trouble et une émotion qu'il est aisé de se représenter. Il se rangea derrière une des fenêtres, qui servaient de portes, pour voir ce que faisait Mme de Clèves. Il vit qu'elle était seule; mais il la vit d'une si admirable beauté qu'à peine fut-il maître du transport que lui donna cette vue. Il faisait chaud, et elle n'avait rien, sur sa tête et sur sa gorge, que ses cheveux confusément rattachés. Elle était sur un lit de repos, avec une table devant elle, où il y avait plusieurs corbeilles pleines de rubans ; elle en choisit quelques-uns, et M. de Nemours remarqua que c'étaient des mêmes couleurs qu'il avait portées au tournoi. Il vit qu'elle en faisait des nœuds à une canne des Indes, fort extraordinaire, qu'il avait portée quelque temps et qu'il avait donnée à sa sœur, à qui [Mme] de Clèves l'avait prise sans faire semblant de la reconnaître pour avoir été à M. de Nemours. Après qu'elle eut achevé son ouvrage avec une grâce et une douceur que répandai[ent] sur son visage les sentiments qu'elle avait dans le cœur, elle prit un flambeau et s'en alla, proche d'une grande table, vis-à-vis du tableau du siège de Metz, où était le portrait de M. de Nemours ; elle s'assit et se mit à regarder ce portrait avec une attention et une rêverie que la passion seule peut donner.

On ne peut exprimer ce que sentit M. de Nemours dans ce moment. Voir au milieu de la nuit, dans le plus beau lieu du monde, une personne qu'il adorait, la voir sans qu'elle sût qu'il la voyait, et la voir tout occupée de choses qui avaient du rapport à lui et à la passion qu'elle lui cachait, c'est ce qui n'a jamais été goûté ni imaginé par nul autre amant.

Ce prince était aussi tellement hors de lui-même qu'il demeurait immobile à regarder Mme de Clèves, sans songer que les moments lui étaient précieux. Quand il fut un peu remis, il pensa qu'il devait attendre à lui parler qu'elle allât dans le jardin ; il crut qu'il le pourrait faire avec plus de sûreté, parce qu'elle serait plus éloignée de ses femmes ; mais, voyant qu'elle demeurait dans le cabinet, il prit la résolution d'y entrer. Quand il voulut l'exécuter, quel trouble n'eut-il point ! Quelle crainte de lui déplaire ! Quelle peur de faire changer ce visage où il y avait tant de douceur et de le voir devenir plein de sévérité et de colère !

Il trouva qu'il y avait eu de la folie, non pas à venir voir Mme de Clèves sans [en] être vu, mais à penser de s'en faire voir ; il vit tout ce qu'il n'avait point encore envisagé. Il lui parut de l'extravagance dans sa hardiesse de venir surprendre, au milieu de la nuit, une personne à qui il n'avait encore jamais parlé de son amour. Il pensa qu'il ne devait pas prétendre qu'elle le voulût écouter, et qu'elle aurait une juste colère du péril où il l'exposait par les accidents qui pouvaient arriver. Tout son courage l'abandonna, et il fut prêt plusieurs fois à prendre la résolution de s'en retourner sans se faire voir. Poussé néanmoins par le désir de lui parler, et rassuré par les espérances que lui donnait tout ce qu'il avait vu, il avança quelques pas, mais avec tant de trouble qu'une écharpe qu'il avait s'embarrassa dans la fenêtre, en sorte qu'il fit du bruit. Mme de Clèves tourna la tête, et, soit qu'elle eût l'esprit rempli de ce prince, ou qu'il fût dans un lieu où la lumière donnait assez pour qu'elle le pût distinguer, elle crut le reconnaître et sans balancer ni se retourner du côté où il était, elle entra dans le lieu où étaient ses femmes. Elle y entra avec tant de trouble qu'elle fut contrainte, pour le cacher, de dire qu'elle se trouvait mal; et elle le dit aussi pour occuper tous ces gens et pour donner le temps à M. de Nemours de se retirer. Quand elle eut fait quelque réflexion, elle pensa qu'elle s'était trompée et que c'était un effet de son imagination d'avoir cru voir M. de Nemours. Elle savait qu'il était à Chambord, elle ne trouvait nulle apparence qu'il eût entrepris une chose si hasardeuse; elle eut envie plusieurs fois de rentrer dans le cabinet et d'aller voir dans le jardin s'il y avait quelqu'un. Peut-être souhaitait-elle, autant qu'elle le craignait, d'y trouver M. de Nemours; mais enfin la raison et la prudence l'emportèrent sur tous ses autres sentiments, et elle trouva qu'il valait mieux demeurer dans le doute où elle était que de prendre le hasard de s'en éclaircir. Elle fut longtemps à se résoudre à sortir d'un lieu dont elle pensait que ce prince était peut-être si proche, et il était quasi jour quand elle revint au château.

M. de Nemours était demeuré dans le jardin tant qu'il avait vu de la lumière; il n'avait pu perdre l'espérance de revoir Mme de Clèves, quoiqu'il fût persuadé qu'elle l'avait reconnu et qu'elle n'était sortie que pour l'éviter; mais voyant qu'on fermait les portes, il jugea bien qu'il n'avait plus rien à espérer. Il vint reprendre son cheval tout proche du lieu où attendait le gentilhomme de M. de Clèves. Ce gentilhomme le suivit jusqu'au même village, d'où il était parti le soir. M. de Nemours se résolut d'y passer tout le jour, afin de retourner la nuit à Coulommiers, pour voir si Mme de Clèves aurait encore la cruauté de le fuir, ou celle de ne se pas exposer à être vue; quoiqu'il eût une joie sensible de l'avoir trouvée si remplie de son idée, il était néanmoins très affligé de lui avoir vu un mouvement si naturel de le fuir.

La passion n'a jamais été si tendre et si violente qu'elle l'était alors en ce prince. Il s'en alla sous des saules, le long d'un petit ruisseau qui coulait derrière la maison où il était caché. Il s'éloigna le plus qu'il lui fut possible, pour n'être vu ni entendu de personne; il s'abandonna aux transports de son amour et son cœur en fut tellement pressé qu'il fut contraint de laisser couler quelques larmes; mais ces larmes n'étaient pas de celles que la douleur seule fait répandre, elles étaient mêlées de douceur et de ce charme qui ne se trouve que dans l'amour.

Il se mit à repasser toutes les actions de Mme de Clèves depuis qu'il en était amoureux; quelle rigueur honnête et modeste elle avait toujours eue pour lui, quoiqu'elle l'aimât. Car, enfin, elle m'aime, disait-il; elle m'aime, je n'en saurais douter; les plus grands engagements et les plus grandes faveurs ne sont pas des marques si assurées que celles que j'en ai eues. Cependant je suis traité avec la même rigueur que si j'étais haï; j'ai espéré au temps, je n'en dois plus rien attendre; je la vois toujours se défendre également contre moi et contre elle-même. Si je n'étais point aimé, je songerais à plaire; mais je plais, on m'aime, et on me le cache. Que puis-je donc espérer, et quel changement dois-je attendre dans ma destinée? Quoi! je serai aimé de la plus aimable personne du monde et je n'aurai cet excès d'amour que donnent les premières certitudes d'être aimé que pour mieux sentir la douleur d'être maltraité! Laissez-moi voir que vous m'aimez, belle princesse, s'écria-t-il, laissez-moi voir vos sentiments; pourvu que je les connaisse par vous une fois en ma vie, je consens que vous repreniez pour toujours ces rigueurs dont vous m'accabliez. Regardez-moi du moins avec ces mêmes yeux dont je vous ai vue cette nuit regarder mon portrait; pouvez-vous l'avoir regardé avec tant de douceur et m'avoir fui moi-même si cruellement? Que craignez-vous? Pourquoi mon amour vous est-il si redoutable? Vous m'aimez, vous me le cachez inutilement; vous-même m'en avez donné des marques involontaires. Je sais mon bonheur; laissez-m'en jouir, et cessez de me rendre malheureux. Est-il possible, reprenait-il, que je sois aimé de Mme de Clèves et que je sois malheureux? Qu'elle était belle cette nuit! Comment ai-je pu résister à l'envie de me jeter à ses pieds? Si je l'avais fait, je l'aurais peut-être empêchée de me fuir, mon respect l'aurait rassurée; mais peut-être elle ne m'a pas reconnu; je m'afflige plus que je ne dois, et la vue d'un homme, à une heure si extraordinaire, l'a effrayée.

Ces mêmes pensées occupèrent tout le jour M. de Nemours; il attendit la nuit avec impatience; et, quand elle fut venue, il reprit le chemin de Coulommiers. Le gentilhomme de M. de Clèves, qui s'était déguisé afin d'être moins remarqué, le suivit jusqu'au lieu où il l'avait suivi le soir d'auparavant et le vit entrer dans le même jardin. Ce prince connut bientôt que Mme de Clèves n'avait pas voulu hasarder qu'il essayât encore de la voir; toutes les portes étaient fermées. Il tourna de tous les côtés pour découvrir s'il ne verrait point de lumières; mais ce fut inutilement.

Mme de Clèves, s'étant doutée que M. de Nemours pourrait revenir, était demeurée dans sa chambre; elle avait appréhendé de n'avoir pas toujours la force de le fuir, et elle n'avait pas voulu se mettre au hasard de lui parler d'une manière si peu conforme à la conduite qu'elle avait eue jusqu'alors.

Quoique M. de Nemours n'eût aucune espérance de la voir, il ne put se résoudre à sortir si tôt d'un lieu où elle était si souvent. Il passa la nuit entière dans le jardin et trouva quelque consolation à voir du moins les mêmes objets qu'elle voyait tous les jours. Le soleil était levé devant qu'il pensât à se retirer; mais enfin la crainte d'être découvert l'obligea à s'en aller.

Il lui fut impossible de s'éloigner sans voir Mme de Clèves; et il alla chez Mme de Mercœur, qui était alors dans cette maison qu'elle avait proche de Coulommiers. Elle fut extrêmement surprise de l'arrivée de son frère. Il inventa une cause de son voyage, assez vraisemblable pour la tromper, et enfin il conduisit si habilement son dessein qu'il l'obligea à lui proposer d'elle-même d'aller chez Mme de Clèves. Cette proposition fut exécutée dès le même jour, et M. de Nemours dit à sa sœur qu'il la quitterait à Coulommiers pour s'en retourner en diligence trouver le roi. Il fit ce dessein de la quitter à Coulommiers dans la pensée de l'en laisser partir la première; et il crut avoir trouvé un moyen infaillible de parler à Mme de Clèves.

Comme ils arrivèrent, elle se promenait dans une grande allée qui borde le parterre. La vue de M. de Nemours ne lui causa pas un médiocre trouble et ne lui laissa plus de douter que ce ne fût lui qu'elle avait vu la nuit précédente. Cette certitude lui donna quelque mouvement de colère, par la hardiesse et l'imprudence qu'elle trouvait dans ce qu'il avait entrepris. Ce prince remarqua une impression de froideur sur son visage qui lui donna une sensible douleur. La conversation fut de choses indifférentes ; et, néanmoins, il trouva l'art d'y faire paraître tant d'esprit, tant de complaisance et tant d'admiration pour Mme de Clèves qu'il dissipa, malgré elle, une partie de la froideur qu'elle avait eue d'abord.

Lorsqu'il se sentit rassuré de sa première crainte, il témoigna une extrême curiosité d'aller voir le pavillon de la forêt. Il en parla comme du plus agréable lieu du monde et en fit même une description si particulière que Mme de Mercœur lui dit qu'il fallait qu'il y eût été plusieurs fois pour en connaître si bien toutes les beautés.

— Je ne crois pourtant pas, reprit Mme de Clèves, que M. de Nemours y ait jamais entré ; c'est un lieu qui n'est achevé que depuis peu.

— Il n'y a pas longtemps aussi que j'y ai été, reprit M. de Nemours en la regardant, et je ne sais si je ne dois point être bien aise que vous ayez oublié de m'y avoir vu.

Mme de Mercœur, qui regardait la beauté des jardins, n'avait point d'attention à ce que disait son frère. Mme de Clèves rougit et, baissant les yeux sans regarder M. de Nemours :

— Je ne me souviens point, lui dit-elle, de vous y avoir vu ; et, si vous y avez été, c'est sans que [je] l'aie su.

— Il est vrai, madame, répliqua M. de Nemours, que j'y ai été sans vos ordres, et j'y ai passé les plus doux et les plus cruels moments de ma vie.

Mme de Clèves entendait trop bien tout ce que disait ce prince, mais elle n'y répondit point ; elle songea à empêcher Mme de Mercœur d'aller dans ce cabinet, parce que le portrait de M. de Nemours y était et qu'elle ne voulait pas qu'elle l'y vît. Elle fit si bien que le temps se passa insensiblement, et Mme de Mercœur parla de s'en retourner. Mais quand Mme de Clèves vit que M. de Nemours et sa sœur ne s'en allaient pas ensemble, elle jugea bien à quoi elle allait être exposée ; elle se trouva dans le même embarras où elle s'était trouvée à Paris et elle prit aussi le même parti. La crainte que cette visite ne fût encore une confirmation des soupçons qu'avait son mari ne contribua pas peu à la déterminer ; et, pour éviter que M. de Nemours ne demeurât seul avec elle, elle dit à Mme de Mercœur qu'elle l'allait conduire

jusques au bord de la forêt, et elle ordonna que son carrosse la suivît. La douleur qu'eut ce prince de trouver
toujours cette même continuation des rigueurs en Mme de
Clèves fut si violente qu'il en pâlit dans le même moment.
Mme de Mercœur lui demanda s'il se trouvait mal; mais
il regarda Mme de Clèves, sans que personne s'en aperçût, et il lui fit juger par ses regards qu'il n'avait d'autre
mal que son désespoir. Cependant il fallut qu'il les lais-
sât partir sans oser les suivre, et, après ce qu'il avait dit,
il ne pouvait plus retourner avec sa sœur; ainsi, il revint
à Paris, et en partit le lendemain.

Le gentilhomme de M. de Clèves l'avait toujours
observé : il revint aussi à Paris et, comme il vit M. de
Nemours parti pour Chambord, il prit la poste afin d'y
arriver devant lui et de se rendre compte de son voyage.
Son maître attendait son retour, comme ce qui allait
décider du malheur de toute sa vie.

Sitôt qu'il le vit, il jugea, par son visage et par son
silence, qu'il n'avait que des choses fâcheuses à lui
apprendre. Il demeura quelque temps saisi d'affliction,
la tête baissée sans pouvoir parler; enfin, il lui fit signe
de la main de se retirer :

— Allez, lui dit-il, je vois ce que vous avez à me dire;
mais je n'ai pas la force de l'écouter.

— Je n'ai rien à vous apprendre, lui répondit le gentilhomme, sur quoi on puisse faire de jugement assuré.
Il est vrai que M. de Nemours a entré deux nuits de
suite dans le jardin de la forêt, et qu'il a été le jour d'après
à Coulommiers avec Mme de Mercœur.

— C'est assez, répliqua M. de Clèves, c'est assez, en
lui faisant encore signe de se retirer, et je n'ai pas besoin
d'un plus grand éclaircissement.

Le gentilhomme fut contraint de laisser son maître
abandonné à son désespoir. Il n'y en a peut-être jamais
eu un plus violent, et peu d'hommes d'un aussi grand
courage et d'un cœur aussi passionné que M. de Clèves,
ont ressenti en même temps la douleur que causent l'infidélité d'une maîtresse et la honte d'être trompé par
une femme.

M. de Clèves ne put résister à l'accablement où il se
trouva. La fièvre lui prit dès la nuit même, et avec de si
grands accidents que, dès ce moment, sa maladie parut
très dangereuse. On en donna avis à Mme de Clèves;
elle vint en diligence. Quand elle arriva, il était encore
plus mal, elle lui trouva quelque chose de si froid et de

si glacé pour elle qu'elle en fut extrêmement surprise et affligée. Il lui parut même qu'il recevait avec peine les services qu'elle lui rendait; mais enfin, elle pensa que c'était peut-être un effet de sa maladie.

D'abord qu'elle fut à Blois, où la cour était alors, M. de Nemours ne put s'empêcher d'avoir de la joie de savoir qu'elle était dans le même lieu que lui. Il essaya de la voir et alla tous les jours chez M. de Clèves, sur le prétexte de savoir de ses nouvelles; mais ce fut inutilement. Elle ne sortait point de la chambre de son mari et avait une douleur violente de l'état où elle le voyait. M. de Nemours était désespéré qu'elle fût si affligée; il jugeait aisément combien cette affliction renouvelait l'amitié qu'elle avait pour M. de Clèves, et combien cette amitié faisait une diversion dangereuse à la passion qu'elle avait dans le cœur. Ce sentiment lui donna un chagrin mortel pendant quelque temps; mais l'extrémité du mal de M. de Clèves lui ouvrit de nouvelles espérances. Il vit que Mme de Clèves serait peut-être en liberté de suivre son inclination et qu'il pourrait trouver dans l'avenir une suite de bonheur et de plaisirs durables. Il ne pouvait soutenir cette pensée, tant elle lui donnait de trouble et de transports, et il en éloignait son esprit par la crainte de se trouver trop malheureux, s'il venait à perdre ses espérances.

Cependant M. de Clèves était presque abandonné des médecins. Un des derniers jours de son mal, après avoir passé une nuit très fâcheuse, il dit sur le matin qu'il voulait reposer. Mme de Clèves demeura seule dans sa chambre; il lui parut qu'au lieu de reposer, il avait beaucoup d'inquiétude. Elle s'approcha et se vint mettre à genoux devant son lit, le visage tout couvert de larmes. M. de Clèves avait résolu de ne lui point témoigner le violent chagrin qu'il avait contre elle; mais les soins qu'elle lui rendait et son affliction, qui lui paraissait quelquefois véritable et qu'il regardait aussi quelquefois comme des marques de dissimulation et de perfidie, lui causaient des sentiments si opposés et si douloureux qu'il ne les put renfermer en lui-même.

— Vous versez bien des pleurs, madame, lui dit-il, pour une mort que vous causez et qui ne vous peut donner la douleur que vous faites paraître. Je ne suis plus en état de vous faire des reproches, continua-t-il avec une voix affaiblie par la maladie et par la douleur; mais je meurs du cruel déplaisir que vous m'avez donné. Fallait-

il qu'une action aussi extraordinaire que celle que vous
aviez faite de me parler à Coulommiers eût si peu
de suite ? Pourquoi m'éclairer sur la passion que vous
aviez pour M. de Nemours, si votre vertu n'avait pas
plus d'étendue pour y résister ? Je vous aimais jusqu'à
être bien aise d'être trompé, je l'avoue à ma honte; j'ai
regretté ce faux repos dont vous m'avez tiré. Que ne me
laissiez-vous dans cet aveuglement tranquille dont jouis-
sent tant de maris ? J'eusse, peut-être, ignoré toute ma
vie que vous aimiez M. de Nemours. Je mourrai, ajouta-
t-il; mais sachez que vous me rendez la mort agréable,
et qu'après m'avoir ôté l'estime et la tendresse que j'avais
pour vous, la vie me ferait horreur. Que ferais-je de
la vie, reprit-il, pour la passer avec une personne que
j'ai tant aimée, et dont j'ai été si cruellement trompé, ou
pour vivre séparé de cette même personne, et en venir à
un éclat et à des violences si opposées à mon humeur et
à la passion que j'avais pour vous ? Elle a été au-delà de ce
que vous en avez vu, madame; je vous en ai caché la plus
grande partie, par la crainte de vous importuner, ou de
perdre quelque chose de votre estime, par des manières
qui ne convenaient pas à un mari. Enfin je méritais votre
cœur; encore une fois, je meurs sans regret, puisque je
n'ai pu l'avoir, et que je ne puis plus le désirer. Adieu,
madame, vous regretterez quelque jour un homme qui
vous aimait d'une passion véritable et légitime. Vous
sentirez le chagrin que trouvent les personnes raison-
nables dans leurs engagements, et vous connaîtrez la différence d'être aimée, comme je vous aimais, à l'être par
des gens qui, en vous témoignant de l'amour, ne cher-
chent que l'honneur de vous séduire. Mais ma mort
vous laissera en liberté, ajouta-t-il, et vous pourrez rendre
M. de Nemours heureux, sans qu'il vous en coûte des
crimes. Qu'importe, reprit-il, ce qui arrivera quand je
ne serai plus, et faut-il que j'aie la faiblesse d'y jeter les
yeux !

Mme de Clèves était si éloignée de s'imaginer que son
mari pût avoir des soupçons contre elle qu'elle écouta
toutes ces paroles sans les comprendre, et sans avoir
d'autre idée, sinon qu'il lui reprochait son inclination
pour M. de Nemours; enfin, sortant tout d'un coup de
son aveuglement :

— Moi, des crimes! s'écria-t-elle; la pensée même
m'en est inconnue. La vertu la plus austère ne peut inspirer d'autre conduite que celle que j'ai eue; et je n'ai

jamais fait d'action dont je n'eusse souhaité que vous eussiez été témoin.

— Eussiez-vous souhaité, répliqua M. de Clèves, en la regardant avec dédain, que je l'eusse été des nuits que vous avez passées avec M. de Nemours ? Ah! madame, est-ce de vous dont je parle, quand je parle d'une femme qui a passé des nuits avec un homme ?

— Non, monsieur, reprit-elle; non, ce n'est pas de moi dont vous parlez. Je n'ai jamais passé ni de nuits ni de moments avec M. de Nemours. Il ne m'a jamais vue en particulier; je ne l'ai jamais souffert, ni écouté, et j'en ferais tous les serments...

— N'en dites pas davantage, interrompit M. de Clèves; de faux serments ou un aveu me feraient peut-être une égale peine.

Mme de Clèves ne pouvait répondre; ses larmes et sa douleur lui ôtaient la parole; enfin, faisant un effort :

— Regardez-moi du moins; écoutez-moi, lui dit-elle. S'il n'y allait que de mon intérêt, je souffrirais ces reproches; mais il y va de votre vie. Écoutez-moi, pour l'amour de vous-même : il est impossible qu'avec tant de vérité, je ne vous persuade mon innocence.

— Plût à Dieu que vous me la puissiez persuader! s'écria-t-il; mais que me pouvez-vous dire ? M. de Nemours n'a-t-il pas été à Coulommiers avec sa sœur ? Et n'avait-il pas passé les deux nuits précédentes avec vous dans le jardin de la forêt ?

— Si c'est là mon crime, répliqua-t-elle, il m'est aisé de me justifier. Je ne vous demande point de me croire; mais croyez tous vos domestiques, et sachez si j'allai dans le jardin de la forêt la veille que M. de Nemours vint à Coulommiers, et si je n'en sortis pas le soir d'auparavant deux heures plus tôt que je n'avais accoutumé.

Elle lui conta ensuite comme elle avait cru voir quelqu'un dans ce jardin. Elle lui avoua qu'elle avait cru que c'était M. de Nemours. Elle lui parla avec tant d'assurance, et la vérité se persuade si aisément lors même qu'elle n'est pas vraisemblable, que M. de Clèves fut presque convaincu de son innocence.

— Je ne sais, lui dit-il, si je me dois laisser [aller] à vous croire. Je me sens si proche de la mort que je ne veux rien voir de ce qui me pourrait faire regretter la vie. Vous m'avez éclairci trop tard; mais ce me sera toujours un soulagement d'emporter la pensée que vous êtes digne de l'estime que j'aie eue pour vous. Je vous prie que je puisse encore avoir la consolation de croire que ma mémoire vous sera chère et que, s'il eût dépendu de vous, vous eussiez eu pour moi les sentiments que vous avez pour un autre.

Il voulut continuer; mais une faiblesse lui ôta la parole. Mme de Clèves fit venir les médecins; ils le trouvèrent presque sans vie. Il languit néanmoins encore quelques jours et mourut enfin avec une constance admirable.

Mme de Clèves demeura dans une affliction si violente qu'elle perdit quasi l'usage de la raison. La reine la vint voir avec soin et la mena dans un couvent sans qu'elle sût où on la conduisait. Ses belles-sœurs la ramenèrent à Paris, qu'elle n'était pas encore en état de sentir distinctement sa douleur. Quand elle commença d'avoir la force de l'envisager et qu'elle vit quel mari elle avait perdu, qu'elle considéra qu'elle était la cause de sa mort, et que c'était par la passion qu'elle avait eue pour un autre qu'elle en était cause, l'horreur qu'elle eut pour elle-même et pour M. de Nemours ne se peut représenter.

Ce prince n'osa, dans ces commencements, lui rendre d'autres soins que ceux que lui ordonnait la bienséance. Il connaissait assez Mme de Clèves pour croire qu'un plus grand empressement lui serait désagréable; mais ce qu'il apprit ensuite lui fit bien voir qu'il devait avoir longtemps la même conduite.

Un écuyer qu'il avait lui conta que le gentilhomme de M. de Clèves, qui était son ami intime, lui avait dit, dans sa douleur de la perte de son maître, que le voyage de M. de Nemours à Coulommiers était cause de sa mort. M. de Nemours fut extrêmement surpris de ce discours; mais après y avoir fait réflexion, il devina une partie de la vérité, et il jugea bien quels seraient d'abord les sentiments de Mme de Clèves et quel éloignement elle aurait de lui, si elle croyait que le mal de son mari eût été causé par la jalousie. Il crut qu'il ne fallait pas même la faire sitôt souvenir de son nom; et il suivit cette conduite, quelque pénible qu'elle lui parût.

Il fit un voyage à Paris et ne put s'empêcher néanmoins d'aller à sa porte pour apprendre de ses nouvelles. On lui dit que personne ne la voyait et qu'elle avait même défendu qu'on lui rendît compte de ceux qui l'iraient chercher. Peut-être que ces ordres si exacts étaient donnés en vue de ce prince, et pour ne point entendre parler de lui. M. de Nemours était trop amoureux pour pouvoir vivre si absolument privé de la vue de

Mme de Clèves. Il résolut de trouver des moyens, quelque difficiles qu'ils pussent être, de sortir d'un état qui lui paraissait si insupportable.

La douleur de cette princesse passait les bornes de la raison. Ce mari mourant, et mourant à cause d'elle et avec tant de tendresse pour elle, ne lui sortait point de l'esprit. Elle repassait incessamment tout ce qu'elle lui devait, et elle se faisait un crime de n'avoir pas eu de la passion pour lui, comme si c'eût été une chose qui eût été en son pouvoir. Elle ne trouvait de consolation qu'à penser qu'elle le regrettait autant qu'il méritait d'être regretté et qu'elle ne ferait dans le reste de sa vie que ce qu'il aurait été bien aise qu'elle eût fait s'il avait vécu.

Elle avait pensé plusieurs fois comment il avait su que M. de Nemours était venu à Coulommiers; elle ne soupçonnait pas ce prince de l'avoir conté, et il lui paraissait même indifférent qu'il l'eût redit, tant elle se croyait guérie et éloignée de la passion qu'elle avait eue pour lui. Elle sentait néanmoins une douleur vive de s'imaginer qu'il était cause de la mort de son mari, et elle se souvenait avec peine de la crainte que M. de Clèves lui avait témoignée en mourant qu'elle ne l'épousât; mais toutes ces douleurs se confondaient dans celle de la perte de son mari, et elle croyait n'en avoir point d'autre.

Après que plusieurs mois furent passés, elle sortit de cette violente affliction où elle était et passa dans un état de tristesse et de langueur. Mme de Martigues fit un voyage à Paris, et la vit avec soin pendant le séjour qu'elle y fit. Elle l'entretint de la cour et de tout ce qui s'y passait; et, quoique Mme de Clèves ne parût pas y prendre intérêt, Mme de Martigues ne laissait pas de lui en parler pour la divertir.

Elle lui conta des nouvelles du vidame, de M. de Guise et de tous les autres qui étaient distingués par leur personne ou par leur mérite.

— Pour M. de Nemours, dit-elle, je ne sais si les affaires ont pris dans son cœur la place de la galanterie; mais il a bien moins de joie qu'il n'avait accoutumé d'en avoir, il paraît fort retiré du commerce des femmes. Il fait souvent des voyages à Paris et je crois même qu'il y est présentement.

Le nom de M. de Nemours surprit Mme de Clèves et la fit rougir. Elle changea de discours, et Mme de Martigues ne s'aperçut point de son trouble.

Le lendemain, cette princesse, qui cherchait des occupations conformes à l'état où elle était, alla proche de chez elle voir un homme qui faisait des ouvrages de soie d'une façon particulière; et elle y fut dans le dessein d'en faire de semblables. Après qu'on les lui eut montrés, elle vit la porte d'une chambre où elle crut qu'il y en avait encore; elle dit qu'on la lui ouvrît. Le maître répondit qu'il n'en avait pas la clef et qu'elle était occupée par un homme qui y venait quelquefois pendant le jour pour dessiner de belles maisons et des jardins que l'on voyait de ses fenêtres.

— C'est l'homme du monde le mieux fait, ajouta-t-il; il n'a guère la mine d'être réduit à gagner sa vie. Toutes les fois qu'il vient céans, je le vois toujours regarder les maisons et les jardins; mais je ne le vois jamais travailler.

Mme de Clèves écoutait ce discours avec une grande attention. Ce que lui avait dit Mme de Martigues, que M. de Nemours était quelquefois à Paris, se joignit, dans son imagination, à cet homme bien fait qui venait proche de chez elle, et lui fit une idée de M. de Nemours, et de M. de Nemours appliqué à la voir, qui lui donna un trouble confus, dont elle ne savait pas même la cause. Elle alla vers les fenêtres pour voir où elles donnaient; elle trouva qu'elles voyaient tout son jardin et la face de son appartement. Et, lorsqu'elle fut dans sa chambre, elle remarqua aisément cette même fenêtre où l'on lui avait dit que venait cet homme. La pensée que c'était M. de Nemours changea entièrement la situation de son esprit; elle ne se trouva plus dans un certain triste repos qu'elle commençait à goûter, elle se sentit inquiète et agitée. Enfin, ne pouvant demeurer avec elle-même, elle sortit et alla prendre l'air dans le jardin hors des faubourgs, où elle pensait être seule. Elle crut en y arrivant qu'elle ne s'était pas trompée; elle ne vit aucune apparence qu'il y eût quelqu'un et elle se promena assez longtemps.

Après avoir traversé un petit bois, elle aperçut, au bout d'une allée, dans l'endroit le plus reculé du jardin, une manière de cabinet ouvert de tous côtés, où elle adressa ses pas. Comme elle en fut proche, elle vit un homme couché sur des bancs, qui paraissait enseveli dans une rêverie profonde, et elle reconnut que c'était M. de Nemours. Cette vue l'arrêta tout court. Mais ses gens qui la suivaient firent quelque bruit, qui tira M. de Nemours de sa rêverie. Sans regarder qui avait causé le bruit qu'il avait entendu, il se leva de sa place pour éviter la compagnie qui venait vers lui et tourna dans une autre allée, en faisant une révérence fort basse qui l'empêcha même de voir ceux qu'il saluait.

S'il eût su ce qu'il évitait, avec quelle ardeur serait-il retourné sur ses pas; mais il continua à suivre l'allée, et Mme de Clèves le vit sortir par une porte de derrière où l'attendait son carrosse. Quel effet produisit cette vue d'un moment dans le cœur de Mme de Clèves! Quelle passion endormie se ralluma dans son cœur, et avec quelle violence! Elle s'alla asseoir dans le même endroit d'où venait de sortir M. de Nemours; elle y demeura comme accablée. Ce prince se présenta à son esprit, aimable au-dessus de tout ce qui était au monde, l'aimant depuis longtemps avec une passion pleine de respect et de fidélité, méprisant tout pour elle, respectant jusqu'à sa douleur, songeant à la voir sans songer à en être vu, quittant la cour, dont il faisait les délices, pour aller regarder les murailles qui la renfermaient, pour venir rêver dans des lieux où il ne pouvait prétendre de la rencontrer; enfin un homme digne d'être aimé par son seul attachement, et pour qui elle avait une inclination si violente qu'elle l'aurait aimé quand il ne l'aurait pas aimée; mais, de plus, un homme d'une qualité élevée et convenable à la sienne. Plus de devoir, plus de vertu qui s'opposassent à ses sentiments; tous les obstacles étaient levés, et il ne restait de leur état passé que la passion de M. de Nemours pour elle et que celle qu'elle avait pour lui.

Toutes ces idées furent nouvelles à cette princesse. L'affliction de la mort de M. de Clèves l'avait assez occupée pour avoir empêché qu'elle n'y eût jeté les yeux. La présence de M. de Nemours les amena en foule dans son esprit; mais, quand il en eut été pleinement rempli et qu'elle se souvint aussi que ce même homme, qu'elle regardait comme pouvant l'épouser, était celui qu'elle avait aimé du vivant de son mari et qui était la cause de sa mort; que même, en mourant, il lui avait témoigné de la crainte qu'elle ne l'épousât, son austère vertu était si blessée de cette imagination qu'elle ne trouvait guère moins de crime à épouser M. de Nemours qu'elle en avait trouvé à l'aimer pendant la vie de son mari. Elle s'abandonna à ces réflexions si contraires à son bonheur; elle les fortifia encore de plusieurs raisons qui regardaient son repos et les maux qu'elle prévoyait

en épousant ce prince. Enfin, après avoir demeuré
deux heures dans le lieu où elle était, elle s'en revint
chez elle, persuadée qu'elle devait fuir sa vue comme une
chose entièrement opposée à son devoir.

Mais cette persuasion, qui était un effet de sa raison
et de sa vertu, n'entraînait pas son cœur. Il demeurait
attaché à M. de Nemours avec une violence qui la
mettait dans un état digne de compassion et qui ne lui
laissa plus de repos; elle passa une des plus cruelles nuits
qu'elle eût jamais passées. Le matin, son premier mouvement fut d'aller voir s'il n'y aurait personne à la fenêtre
qui donnait chez elle; elle y alla, elle y vit M. de Nemours.
Cette vue la surprit, et elle se retira avec une promp-
titude qui fit juger à ce prince qu'il avait été reconnu.
Il avait souvent désiré l'être, depuis que sa passion
lui avait fait trouver ces moyens de voir Mme de Clèves;
et, lorsqu'il n'espérait pas d'avoir ce plaisir, il allait
rêver dans le même jardin où elle l'avait trouvé.

Lassé enfin d'un état si malheureux et si incertain,
il résolut de tenter quelque voie d'éclaircir sa destinée.
Que veux-je attendre? disait-il; il y a longtemps que
je sais que j'en suis aimé; elle est libre, elle n'a plus de
devoir à m'opposer. Pourquoi me réduire à la voir
sans en être vu et sans lui parler? Est-il possible que
l'amour m'ait si absolument ôté la raison et la hardiesse
et qu'il m'ait rendu si différent de ce que j'ai été dans
les autres passions de ma vie? J'ai dû respecter la douleur de Mme de Clèves; mais je la respecte trop longtemps et je lui donne le loisir d'éteindre l'inclination
qu'elle a pour moi.

Après ces réflexions, il songea aux moyens dont il
devait se servir pour la voir. Il crut qu'il n'y avait plus
rien qui l'obligeât à cacher sa passion au vidame de
Chartres. Il résolut de lui en parler et de lui dire le
dessein qu'il avait pour sa nièce.

Le vidame était alors à Paris : tout le monde y était
venu donner ordre à son équipage et à ses habits, pour
suivre le roi qui devait conduire la reine d'Espagne.
M. de Nemours alla donc chez le vidame et lui fit un
aveu sincère de tout ce qu'il lui avait caché jusqu'alors,
à la réserve des sentiments de Mme de Clèves, dont
il ne voulut pas paraître instruit.

Le vidame reçut tout ce qu'il lui dit avec beaucoup
de joie et l'assura que, sans savoir ses sentiments, il avait
souvent pensé, depuis que Mme de Clèves était veuve,

qu'elle était la seule personne digne de lui. M. de Nemours
le pria de lui donner les moyens de lui parler et de savoir
quelles étaient ses dispositions.

Le vidame lui proposa de le mener chez elle; mais
M. de Nemours crut qu'elle en serait choquée, parce
qu'elle ne voyait encore personne. Ils trouvèrent qu'il
fallait que M. le vidame la priât de venir chez lui, sur
quelque prétexte, et que M. de Nemours y vînt par un
escalier dérobé, afin de n'être vu de personne. Cela
s'exécuta comme ils l'avaient résolu : Mme de Clèves
vint, le vidame l'alla recevoir et la conduisit dans un
grand cabinet, au bout de son appartement. Quelque
temps après, M. de Nemours entra, comme si le hasard
l'eût conduit. Mme de Clèves fut extrêmement surprise
de le voir; elle rougit, et essaya de cacher sa rougeur.
Le vidame parla d'abord de choses différentes et sortit,
supposant qu'il avait quelque ordre à donner. Il dit à
Mme de Clèves qu'il la priait de faire les honneurs de
chez lui et qu'il allait rentrer dans un moment.

L'on ne peut exprimer ce que sentirent M. de Nemours
et Mme de Clèves de se trouver seuls et en état de se
parler pour la première fois. Ils demeurèrent quelque
temps sans rien dire; enfin, M. de Nemours, rompant
le silence :

— Pardonnerez-vous à M. de Chartres, madame, lui
dit-il, de m'avoir donné l'occasion de vous voir et de
vous entretenir, que vous m'avez toujours si cruellement ôtée ?

— Je ne lui dois pas pardonner, répondit-elle, d'avoir
oublié l'état où je suis et à quoi il expose ma réputation.

En prononçant ces paroles, elle voulut s'en aller; et
M. de Nemours, la retenant :

— Ne craignez rien, madame, répliqua-t-il, personne
ne sait que je suis ici et aucun hasard n'est à craindre.
Ecoutez-moi, madame, écoutez-moi; si ce n'est par
bonté, que ce soit du moins pour l'amour de vous-même,
et pour vous délivrer des extravagances où m'empor-
terait infailliblement une passion dont je ne suis plus
le maître.

Mme de Clèves céda pour la première fois au penchant
qu'elle avait pour M. de Nemours et, le regardant avec
des yeux pleins de douceur et de charmes :

— Mais qu'espérez-vous, lui dit-elle, de la complaisance que vous me demandez ? Vous vous repentirez,
peut-être, de l'avoir obtenue et je me repentirai infail-

liblement de vous l'avoir accordée. Vous méritez une destinée plus heureuse que celle que vous avez eue jusques ici et que celle que vous pouvez trouver à l'avenir, à moins que vous ne la cherchiez ailleurs!

— Moi, madame, lui dit-il, chercher du bonheur ailleurs! Et y en a-t-il d'autre que d'être aimé de vous? Quoique je ne vous aie jamais parlé, je ne saurais croire, madame, que vous ignoriez ma passion et que vous ne la connaissiez pour la plus véritable et la plus violente qui sera jamais. A quelle épreuve a-t-elle été par des choses qui vous sont inconnues? Et à quelle épreuve l'avez-vous mise par vos rigueurs?

— Puisque vous voulez que je vous parle et que je m'y résous, répondit Mme de Clèves en s'asseyant, je le ferai avec une sincérité que vous trouverez malaisément dans les personnes de mon sexe. Je ne vous dirai point que je n'ai pas vu l'attachement que vous avez eu pour moi; peut-être ne me croiriez-vous pas quand je vous le dirais. Je vous avoue donc, non seulement que je l'ai vu, mais que je l'ai vu tel que vous pouvez souhaiter qu'il m'ait paru.

— Et si vous l'avez vu, madame, interrompit-il, est-il possible que vous n'en ayez point été touchée? Et oserais-je vous demander s'il n'a fait aucune impression dans votre cœur?

— Vous en avez dû juger par ma conduite, lui répliqua-t-elle; mais je voudrais bien savoir ce que vous en avez pensé.

— Il faudrait que je fusse dans un état plus heureux pour vous l'oser dire, répondit-il; et ma destinée a trop peu de rapport à ce que je vous dirais. Tout ce que je puis vous apprendre, madame, c'est que j'ai souhaité ardemment que vous n'eussiez pas avoué à M. de Clèves ce que vous me cachiez et que vous lui eussiez caché ce que vous m'eussiez laissé voir.

— Comment avez-vous pu découvrir, reprit-elle en rougissant, que j'aie avoué quelque chose à M. de Clèves?

— Je l'ai su par vous-même, madame, répondit-il; mais, pour me pardonner la hardiesse que j'ai eue de vous écouter, souvenez-vous si j'ai abusé de ce que j'ai entendu, si mes espérances en ont augmenté et si j'ai eu plus de hardiesse à vous parler?

Il commença à lui conter comme il avait entendu sa conversation avec M. de Clèves; mais elle l'interrompit avant qu'il eût achevé.

— Ne m'en dites pas davantage, lui dit-elle; je vois présentement par où vous avez été si bien instruit. Vous ne me le parûtes déjà que trop chez Mme la Dauphine, qui avait su cette aventure par ceux à qui vous l'aviez confiée.

M. de Nemours lui apprit alors de quelle sorte la chose était arrivée.

— Ne vous excusez point, reprit-elle; il y a long-temps que je vous ai pardonné sans que vous m'ayez dit de raison. Mais puisque vous avez appris par moi-même ce que j'avais eu dessein de vous cacher toute ma vie, je vous avoue que vous m'avez inspiré des sentiments qui m'étaient inconnus devant que de vous avoir vu, et dont j'avais même si peu d'idée qu'ils me donnèrent d'abord une surprise qui augmentait encore le trouble qui les suit toujours. Je vous fais cet aveu avec moins de honte, parce que je le fais dans un temps où je le puis faire sans crime et que vous avez vu que ma conduite n'a pas été réglée par mes sentiments.

— Croyez-vous, madame, lui dit M. de Nemours, en se jetant à ses genoux, que je n'expire pas à vos pieds de joie et de transport?

— Je ne vous apprends, lui répondit-elle en souriant, que ce que vous ne saviez déjà que trop.

— Ah! madame, répliqua-t-il, quelle différence de le savoir par un effet du hasard ou de l'apprendre par vous-même, et de voir que vous voulez bien que je le sache!

— Il est vrai, lui dit-elle, que je veux bien que vous le sachiez et que je trouve de la douceur à vous le dire. Je ne sais même si je ne vous le dis point, plus pour l'amour de moi que pour l'amour de vous. Car enfin cet aveu n'aura point de suite et je suivrai les règles austères que mon devoir m'impose.

— Vous n'y songez pas, madame, répondit M. de Nemours; il n'y a plus de devoir qui vous lie, vous êtes en liberté; et si j'osais, je vous dirais même qu'il dépend de vous de faire en sorte que votre devoir vous oblige un jour à conserver les sentiments que vous avez pour moi.

— Mon devoir, répliqua-t-elle, me défend de penser jamais à personne, et moins à vous qu'à qui que ce soit au monde, par des raisons qui vous sont inconnues.

— Elles ne me le sont peut-être pas, madame, reprit-il; mais ce ne sont point de véritables raisons. Je crois savoir que M. de Clèves m'a cru plus heureux que je n'étais et qu'il s'est imaginé que vous aviez approuvé des extravagances que la passion m'a fait entreprendre sans votre aveu.

— Ne parlons point de cette aventure, lui dit-elle, je n'en saurais soutenir la pensée; elle me fait honte et elle m'est aussi trop douloureuse par les suites qu'elle a eues. Il n'est que trop véritable que vous êtes cause de la mort de M. de Clèves; les soupçons que lui a donnés votre conduite inconsidérée lui ont coûté la vie, comme si vous la lui aviez ôtée de vos propres mains. Voyez ce que je devrais faire, si vous en étiez venus ensemble à ces extrémités, et que le même malheur en fût arrivé. Je sais bien que ce n'est pas la même chose à l'égard du monde; mais au mien il n'y a aucune différence, puisque je sais que c'est par vous qu'il est mort et que c'est à cause de moi.

— Ah! madame, lui dit M. de Nemours, quel fantôme de devoir opposez-vous à mon bonheur? Quoi! madame, une pensée vaine et sans fondement vous empêchera de rendre heureux un homme que vous ne haïssez pas? Quoi! j'aurais pu concevoir l'espérance de passer ma vie avec vous; ma destinée m'aurait conduit à aimer la plus estimable personne du monde; j'aurais vu en elle tout ce qui peut faire une adorable maîtresse; elle ne m'aurait pas haï et je n'aurais trouvé dans sa conduite que tout ce qui peut être à désirer dans une femme? Car enfin, madame, vous êtes peut-être la seule personne en qui ces deux choses se soient jamais trouvées au degré qu'elles sont en vous. Tous ceux qui épousent des maîtresses dont ils sont aimés, tremblent en les épousant, et regardent avec crainte, par rapport aux autres, la conduite qu'elles ont eue avec eux; mais en vous, madame, rien n'est à craindre, et on ne trouve que des sujets d'admiration. N'aurai-je envisagé, dis-je, une si grande félicité que pour vous y voir apporter vous-même des obstacles? Ah! madame, vous oubliez que vous m'avez distingué du reste des hommes, ou plutôt vous ne m'en avez jamais distingué: vous vous êtes trompée et je me suis flatté.

— Vous ne vous êtes point flatté, lui répondit-elle; les raisons de mon devoir ne me paraîtraient peut-être pas si fortes sans cette distinction dont vous vous doutez, et c'est elle qui me fait envisager des malheurs à m'attacher à vous.

— Je n'ai rien à répondre, madame, reprit-il, quand vous me faites voir que vous craignez des malheurs; mais je vous avoue qu'après tout ce que vous avez bien voulu me dire, je ne m'attendais pas à trouver une si cruelle raison.

— Elle est si peu offensante pour vous, reprit Mme de Clèves, que j'ai même beaucoup de peine à vous l'apprendre.

— Hélas! madame, répliqua-t-il, que pouvez-vous craindre qui me flatte trop, après ce que vous venez de me dire?

— Je veux vous parler encore, avec la même sincérité que j'ai déjà commencé, reprit-elle, et je vais passer par-dessus toute la retenue et toutes les délicatesses que je devrais avoir dans une première conversation; mais je vous conjure de m'écouter sans m'interrompre.

« Je crois devoir à votre attachement la faible récompense de ne vous cacher aucun de mes sentiments et de vous les laisser voir tels qu'ils sont. Ce sera apparemment la seule fois de ma vie que je me donnerai la liberté de vous les faire paraître; néanmoins je ne saurais vous avouer, sans honte, que la certitude de n'être plus aimée de vous, comme je le suis, me paraît un si horrible malheur que, quand je n'aurais point des raisons de devoir insurmontables, je doute si je pourrais me résoudre à m'exposer à ce malheur. Je sais que vous êtes libre, que je le suis, et que les choses sont d'une sorte que le public n'aurait peut-être pas sujet de vous blâmer, ni moi non plus, quand nous nous engagerions ensemble pour jamais. Mais les hommes conservent-ils de la passion dans ces engagements éternels? Dois-je espérer un miracle en ma faveur et puis-je me mettre en état de voir certainement finir cette passion dont je ferais toute ma félicité? M. de Clèves était peut-être l'unique homme du monde capable de conserver de l'amour dans le mariage. Ma destinée n'a pas voulu que j'aie pu profiter de ce bonheur; peut-être aussi que sa passion n'avait subsisté que parce qu'il n'en aurait pas trouvé en moi. Mais je n'aurais pas le même moyen de conserver la vôtre : je crois même que les obstacles ont fait votre constance. Vous en avez assez trouvé pour vous animer à vaincre et mes actions involontaires, ou les choses que le hasard vous a appris[es], vous ont donné assez d'espérance pour ne vous pas rebuter.

— Ah! madame, reprit M. de Nemours, je ne saurais garder le silence que vous m'imposez; vous me faites trop d'injustice et vous me faites trop voir combien vous êtes éloignée d'être prévenue en ma faveur.

— J'avoue, répondit-elle, que les passions peuvent me conduire; mais elles ne sauraient m'aveugler. Rien ne me peut empêcher de connaître que vous êtes né avec toutes les dispositions pour la galanterie et toutes les qualités qui sont propres à y donner des succès heureux. Vous avez déjà eu plusieurs passions, vous en auriez encore; je ne ferais plus votre bonheur; je vous verrais pour une autre comme vous auriez été pour moi. J'en aurais une douleur mortelle et je ne serais pas même assurée de n'avoir point le malheur de la jalousie. Je vous en ai trop dit pour vous cacher que vous me l'avez fait connaître et que je souffris de si cruelles peines le soir que la reine me donna cette lettre de Mme de Thémines, que l'on disait qui s'adressait à vous, qu'il m'en est demeuré une idée qui me fait croire que c'est le plus grand de tous les maux.

« Par vanité ou par goût, toutes les femmes souhaitent de vous attacher. Il y en a peu à qui vous ne plaisiez; mon expérience me ferait croire qu'il n'y en a point à qui vous ne puissiez plaire. Je vous croirais toujours amoureux et aimé et je ne me tromperais pas souvent. Dans cet état néanmoins, je n'aurais d'autre parti à prendre que celui de la souffrance; je ne sais même si j'oserais me plaindre. On fait des reproches à un amant; mais en fait-on à un mari, quand on n'a [qu']à lui reprocher de n'avoir plus d'amour ? Quand je pourrais m'accoutumer à cette sorte de malheur, pourrais-je m'accoutumer à celui de croire voir toujours M. de Clèves vous accuser de sa mort, me reprocher de vous avoir aimé, de vous avoir épousé et me faire sentir la différence de son attachement au vôtre ? Il est impossible, continua-t-elle, de passer par-dessus des raisons si fortes : il faut que je demeure dans l'état où je suis et dans les résolutions que j'ai prises de n'en sortir jamais.

— Hé! croyez-vous le pouvoir, madame ? s'écria M. de Nemours. Pensez-vous que vos résolutions tiennent contre un homme qui vous adore et qui est assez heureux pour vous plaire ? Il est plus difficile que vous ne pensez, madame, de résister à ce qui nous plaît et à ce qui nous aime. Vous l'avez fait par une vertu austère, qui n'a presque point d'exemple; mais cette vertu ne s'oppose plus à vos sentiments et j'espère que vous les suivrez malgré vous.

— Je sais bien qu'il n'y a rien de plus difficile que ce que j'entreprends, répliqua Mme de Clèves; je me défie de mes forces au milieu de mes raisons. Ce que je crois devoir à la mémoire de M. de Clèves serait faible s'il n'était soutenu par l'intérêt de mon repos; et les raisons de mon repos ont besoin d'être soutenues de celles de mon devoir. Mais, quoique je me défie de moi-même, je crois que je ne vaincrai jamais mes scrupules et je n'espère pas aussi de surmonter l'inclination que j'ai pour vous. Elle me rendra malheureuse et je me priverai de votre vue, quelque violence qu'il m'en coûte. Je vous conjure, par tout le pouvoir que j'ai sur vous, de ne chercher aucune occasion de me voir. Je suis dans un état qui me fait des crimes de tout ce qui pourrait être permis dans un autre temps, et la seule bienséance interdit tout commerce entre nous.

M. de Nemours se jeta à ses pieds, et s'abandonna à tous les divers mouvements dont il était agité. Il lui fit voir, et par ses paroles, et par ses pleurs, la plus vive et la plus tendre passion dont un cœur ait jamais été touché. Celui de Mme de Clèves n'était pas insensible et, regardant ce prince avec des yeux un peu grossis par les larmes :

— Pourquoi faut-il, s'écria-t-elle, que je vous puisse accuser de la mort de M. de Clèves ? Que n'ai-je commencé à vous connaître depuis que je suis libre, ou pourquoi ne vous ai-je pas connu devant que d'être engagée ? Pourquoi la destinée nous sépare-t-elle par un obstacle si invincible ?

— Il n'y a point d'obstacle, madame, reprit M. de Nemours. Vous seule vous opposez à mon bonheur; vous seule vous imposez une loi que la vertu et la raison ne vous sauraient imposer.

— Il est vrai, répliqua-t-elle, que je sacrifie beaucoup à un devoir qui ne subsiste que dans mon imagination. Attendez ce que le temps pourra faire. M. de Clèves ne fait encore que d'expirer, et cet objet funeste est trop proche pour me laisser des vues claires et distinctes. Ayez cependant le plaisir de vous être fait aimer d'une personne qui n'aurait rien aimé, si elle ne vous avait jamais vu; croyez que les sentiments que j'ai pour vous seront éternels et qu'ils subsisteront également, quoi que je fasse. Adieu, lui dit-elle; voici une conversation qui me fait honte : rendez-en compte à M. le vidame; j'y consens, et je vous en prie.

Elle sortit en disant ces paroles, sans que M. de Nemours pût la retenir. Elle trouva M. le vidame dans la chambre la plus proche. Il la vit si troublée qu'il n'osa lui parler et il la remit en son carrosse sans lui rien dire. Il revint trouver M. de Nemours, qui était si plein de joie, de tristesse, d'étonnement et d'admiration, enfin, de tous les sentiments que peut donner une passion pleine de crainte et d'espérance, qu'il n'avait pas l'usage de la raison. Le vidame fut longtemps à obtenir qu'il lui rendît compte de sa conversation. Il le fit enfin; et M. de Chartres, sans être amoureux, n'eut pas moins d'admiration pour la vertu, l'esprit et le mérite de Mme de Clèves que M. de Nemours en avait lui-même. Ils examinèrent ce que ce prince devait espérer de sa destinée; et, quelques craintes que son amour lui pût donner, il demeura d'accord avec M. le vidame qu'il était impossible que Mme de Clèves demeurât dans les résolutions où elle était. Ils convinrent, néanmoins, qu'il fallait suivre ses ordres, de crainte que, si le public s'apercevait de l'attachement qu'il avait pour elle, elle ne fît des déclarations et ne prît des engagements vers le monde, qu'elle soutiendrait dans la suite, par la peur qu'on ne crût qu'elle l'eût aimé du vivant de son mari.

M. de Nemours se détermina à suivre le roi. C'était un voyage dont il ne pouvait aussi bien se dispenser, et il résolut à s'en aller, sans tenter même de revoir Mme de Clèves, du lieu où il l'avait vue quelquefois. Il pria M. le vidame de lui parler. Que ne lui dit-il point pour lui dire ? Quel nombre infini de raisons pour la persuader de vaincre ses scrupules! Enfin, une partie de la nuit était passée devant que M. de Nemours songeât à le laisser en repos.

Mme de Clèves n'était pas en état d'en trouver; ce lui était une chose si nouvelle d'être sortie de cette contrainte qu'elle s'était imposée, d'avoir souffert, pour la première fois de sa vie, qu'on lui dît qu'on était amoureux d'elle, et d'avoir dit elle-même qu'elle aimait, qu'elle ne se connaissait plus. Elle fut étonnée de ce qu'elle avait fait; elle s'en repentit; elle en eut de la joie : tous ses sentiments étaient pleins de trouble et de passion. Elle examina encore les raisons de son devoir qui s'opposaient à son bonheur; elle sentit de la douleur de les trouver si fortes et elle se repentit de les avoir si bien montrées à M. de Nemours. Quoique la pensée de l'épouser lui fût venue dans l'esprit sitôt qu'elle l'avait revu dans ce jardin, elle ne lui avait pas fait la même impression que venait de faire la conversation qu'elle avait eue avec lui; et il y avait des moments où elle avait de la peine à comprendre qu'elle pût être malheureuse en l'épousant. Elle eût bien voulu se pouvoir dire qu'elle était mal fondée, et dans ses scrupules du passé, et dans ses craintes de l'avenir. La raison et son devoir lui montraient, dans d'autres moments, des choses tout opposées, qui l'emportaient rapidement à la résolution de ne se point remarier et de ne voir jamais M. de Nemours. Mais c'était une résolution bien violente à établir dans un cœur aussi touché que le sien et aussi nouvellement abandonné aux charmes de l'amour. Enfin, pour se donner quelque calme, elle pensa qu'il n'était point encore nécessaire qu'elle se fît la violence de prendre des résolutions; la bienséance lui donnait un temps considérable à se déterminer; mais elle résolut de demeurer ferme à n'avoir aucun commerce avec M. de Nemours. Le vidame la vint voir et servit ce prince avec tout l'esprit et l'application imaginable[s]; il ne la put faire changer sur sa conduite, ni sur celle qu'elle avait imposée à M. de Nemours. Elle lui dit que son dessein était de demeurer dans l'état où elle se trouvait; qu'elle connaissait que ce dessein était difficile à exécuter; mais qu'elle espérait d'en avoir la force. Elle lui fit si bien voir à quel point elle était touchée de l'opinion que M. de Nemours avait causé la mort à son mari, et combien elle était persuadée qu'elle ferait une action contre son devoir en l'épousant, que le vidame craignit qu'il ne fût malaisé de lui ôter cette impression. Il ne dit pas à ce prince ce qu'il pensait et, en lui rendant compte de sa conversation, il lui laissa toute l'espérance que la raison doit donner à un homme qui est aimé.

Ils partirent le lendemain et allèrent joindre le roi. M. le vidame écrivit à Mme de Clèves, à la prière de M. de Nemours, pour lui parler de ce prince; et, dans une seconde lettre qui suivit bientôt la première, M. de Nemours y mit quelques lignes de sa main. Mais Mme de Clèves, qui ne voulait pas sortir des règles qu'elle s'était imposées et qui craignait les accidents qui peuvent arriver par les lettres, manda au vidame qu'elle ne recevrait plus les siennes, s'il continuait à lui parler de M. de Nemours; et elle lui manda si fortement que ce prince le pria même de ne le plus nommer.

La cour alla conduire la reine d'Espagne jusqu'en Poitou. Pendant cette absence, Mme de Clèves demeura à elle-même et, à mesure qu'elle était éloignée de M. de Nemours et de tout ce qui l'en pouvait faire souvenir, elle rappelait la mémoire de M. de Clèves, qu'elle se faisait un honneur de conserver. Les raisons qu'elle avait de ne point épouser M. de Nemours lui paraissaient fortes du côté de son devoir et insurmontables du côté de son repos. La fin de l'amour de ce prince, et les maux de la jalousie qu'elle croyait infaillibles dans un mariage, lui montraient un malheur certain où elle s'allait jeter; mais elle voyait aussi qu'elle entreprenait une chose impossible, que de résister en présence au plus aimable homme du monde qu'elle aimait et dont elle était aimée, et de lui résister sur une chose qui ne choquait ni la vertu, ni la bienséance. Elle jugea que l'absence seule et l'éloignement pouvai[en]t lui donner quelque force; elle trouva qu'elle en avait besoin, non seulement pour soutenir la résolution de ne se pas engager, mais même pour se défendre de voir M. de Nemours; et elle résolut de faire un assez long voyage, pour passer tout le temps que la bienséance l'obligeait à vivre dans la retraite. De grandes terres qu'elle avait vers les Pyrénées lui parurent le lieu le plus propre qu'elle pût choisir. Elle partit peu de jours avant que la cour revînt; et, en partant, elle écrivit à M. le vidame, pour le conjurer que l'on ne songeât point à avoir de ses nouvelles, ni à lui écrire.

M. de Nemours fut affligé de ce voyage, comme un autre l'aurait été de la mort de sa maîtresse. La pensée d'être privé pour longtemps de la vue de Mme de Clèves lui était une douleur sensible, et surtout dans un temps où il avait senti le plaisir de la voir et de la voir touchée de sa passion. Cependant il ne pouvait faire autre chose que s'affliger, mais son affliction augmenta considérablement. Mme de Clèves, dont l'esprit avait été si agité, tomba dans une maladie violente sitôt qu'elle fut arrivée chez elle; cette nouvelle vint à la cour. M. de Nemours était inconsolable; sa douleur allait au désespoir et à l'extravagance. Le vidame eut beaucoup de peine à l'empêcher de faire voir sa passion au public; il en eut beaucoup aussi à le retenir et à lui ôter le dessein d'aller lui-même apprendre de ses nouvelles. La parenté et l'amitié de M. le vidame furent un prétexte à y envoyer plusieurs courriers; on sut enfin qu'elle était hors de cet extrême péril où elle avait été; mais elle demeura dans une maladie de langueur, qui ne laissait guère d'espérance de sa vie.

Cette vue si longue et si prochaine de la mort fit paraître à Mme de Clèves les choses de cette vie de cet œil si différent dont on les voit dans la santé. La nécessité de mourir, dont elle se voyait si proche, l'accoutuma à se détacher de toutes choses et la longueur de sa maladie lui en fit une habitude. Lorsqu'elle revint de cet état, elle trouva néanmoins que M. de Nemours n'était pas effacé de son cœur; mais elle appela à son secours, pour se défendre contre lui, toutes les raisons qu'elle croyait avoir pour ne l'épouser jamais. Il se passa un assez grand combat en elle-même. Enfin, elle surmonta les restes de cette passion qui était affaiblie par les sentiments que sa maladie lui avait donnés. Les pensées de la mort lui avaient [rap]proché la mémoire de M. de Clèves. Ce souvenir, qui s'acco dait à son devoir, s'imprima fortement dans son cœur. Les passions et les engagements du monde lui parurent tels qu'ils paraissent aux personnes qui ont des vues plus grandes et plus éloignées. Sa santé, qui demeura considérablement affaiblie, lui aida à conserver ses sentiments; mais comme elle connaissait ce que peuvent les occasions sur les résolutions les plus sages, elle ne voulut pas s'exposer à détruire les siennes, ni revenir dans les lieux où était ce qu'elle avait aimé. Elle se retira, sur le prétexte de changer d'air, dans une maison religieuse, sans faire paraître un dessein arrêté de renoncer à la cour.

A la première nouvelle qu'en eut M. de Nemours, il sentit le poids de cette retraite, et il en vit l'importance. Il crut, dans ce moment, qu'il n'avait plus rien à espérer; la perte de ses espérances ne l'empêcha pas de mettre tout en usage pour faire revenir Mme de Clèves. Il fit écrire la reine, il fit écrire le vidame, il l'y fit aller; mais tout fut inutile. Le vidame la vit : elle ne lui dit point qu'elle eût pris de résolution. Il jugea néanmoins qu'elle ne reviendrait jamais. Enfin M. de Nemours y alla lui-même, sur le prétexte d'aller aux bains. Elle fut extrêmement troublée et surprise d'apprendre sa venue. Elle lui fit dire, par une personne de mérite qu'elle aimait et qu'elle avait alors auprès d'elle, qu'elle le priait de ne pas trouver étrange si elle ne s'exposait point au péril de le voir et de détruire, par sa présence, des sentiments qu'elle devait conserver; qu'elle voulait bien qu'il sût, qu'ayant trouvé que son devoir et son repos s'opposaient au penchant qu'elle avait d'être à lui, les autres choses du monde lui avaient paru si indifférentes qu'elle y avait renoncé pour jamais; qu'elle ne pensait plus qu'à celles de l'autre vie et qu'il ne lui restait aucun sentiment que le désir de le voir dans les mêmes dispositions où elle était.

M. de Nemours pensa expirer de douleur en présence de celle qui lui parlait. Il la pria vingt fois de retourner à Mme de Clèves, afin de faire en sorte qu'il la vît; mais cette personne lui dit que Mme de Clèves lui avait non seulement défendu de lui aller redire aucune chose de sa part, mais même de lui rendre compte de leur conversation. Il fallut enfin que ce prince repartît, aussi accablé de douleur que le pouvait être un homme qui perdait toutes sortes d'espérances de revoir jamais une personne qu'il aimait d'une passion la plus violente, la plus naturelle et la mieux fondée qui ait jamais été. Néanmoins il ne se rebuta point encore, et il fit tout ce qu'il put imaginer de capable de la faire changer de dessein. Enfin, des années entières s'étant passées, le temps et l'absence ralentirent sa douleur et éteignirent sa passion. Mme de Clèves vécut d'une sorte qui ne laissa pas d'apparence qu'elle pût jamais revenir. Elle passait une partie de l'année dans cette maison religieuse et l'autre chez elle; mais dans une retraite et dans des occupations plus saintes que celles des couvents les plus austères; et sa vie, qui fut assez courte, laissa des exemples de vertu inimitables.

TABLE DES MATIÈRES

LA PRINCESSE DE CLÈVES

GF — TEXTE INTÉGRAL — GF

2581-1968. — IMPRIMERIE-RELIURE MAME
N° d'édition 6237. — 1ᵉʳ trimestre 1966. — PRINTED IN FRANCE.

